Werk und Leben. Stefan George (1868–19[illegible]) [illegible] politische Wirkung [illegible] [illegible] [illegible] [illegible] Entwicklung der deutschen [illegible] [illegible] [illegible] [illegible] [illegible] [illegible] Verbindung von Dichtung und mythisierender [illegible] [illegible] [illegible] und prophetischer [illegible] [illegible] [illegible] [illegible] George [illegible] [illegible] [illegible] Formen, eine eigenen Schrift, der strengen Komposition seiner Gedichtbände [illegible] [illegible] [illegible] [illegible] [illegible] [illegible] [illegible] [illegible] [illegible]

Die Gedichte [illegible] [illegible] [illegible] [illegible] [illegible] Werk ausgewählt [illegible] [illegible] [illegible] [illegible] [illegible] [illegible] [illegible] [illegible] [illegible] [illegible] [illegible] [illegible]

[illegible] [illegible] [illegible] [illegible]

Werk und Gestalt Stefan Georges (1868-1933), sein Kreis und seine politische Wirkung ziehen seit einigen Jahren wieder großes Interesse auf sich. Mit seinem Frühwerk trug George auf entscheidende Weise zur Erneuerung der deutschen Dichtersprache um 1900 bei. Das Spätwerk zeichnet sich durch eine bis heute irritierende Verbindung von Dichtung und mythisierender Geschichtsdeutung, von Zeitkritik und politischer Prophetie, von Sexualität und pädagogischem Eros aus. George schuf mit seinem künstlerischen Formwillen, einer eigenen Schrift, der strengen Komposition seiner Gedichtzyklen und einer hochstilisierten grafischen Gestaltung Gesamtkunstwerke, die ihn zu einem der avanciertesten Dichter seiner Zeit machten und großen Einfluß hatten auf Dichter wie Trakl, Benn und Hofmannsthal.
Die Gedichte dieses Bandes sind aus dem gesamten dichterischen Werk ausgewählt: also aus den unter dem Titel *Die Fibel* veröffentlichten Jugendgedichten und den neun Gedichtbänden von den *Hymnen* (1890) bis zum *Neuen Reich* (1928). Die Auswahl wird ergänzt durch Porträts des Dichters, die bei Georges Medienpolitik eine entscheidende Rolle spielten.

Ernst Osterkamp, Professor für Neuere deutsche Literatur an der Humboldt-Universität in Berlin, erläutert in seinem Nachwort Werk und Wirkung.

insel taschenbuch 3078
Stefan George
Gedichte

Stefan George
Gedichte

HERAUSGEGEBEN
UND MIT EINEM NACHWORT
VON ERNST OSTERKAMP

MIT ABBILDUNGEN

INSEL VERLAG

insel taschenbuch 3078
Originalausgabe
Erste Auflage 2005

Hinweise zu dieser Ausgabe am Schluß des Bandes
Vertrieb durch den Suhrkamp Taschenbuch Verlag
Umschlag nach Entwürfen von Willy Fleckhaus
Satz: Hümmer GmbH, Waldbüttelbrunn
Druck: Memminger MedienCentrum AG
Printed in Germany
ISBN 3-458-34778-X

1 2 3 4 5 6 – 09 08 07 06 05

INHALT

DIE FIBEL

HYMNEN PILGERFAHRTEN ALGABAL

DIE BÜCHER DER HIRTEN- UND PREISGEDICHTE DER SAGEN UND SÄNGE UND DER HÄNGENDEN GÄRTEN

DAS JAHR DER SEELE

DER TEPPICH DES LEBENS UND DIE LIEDER VON TRAUM UND TOD MIT EINEM VORSPIEL

DER SIEBENTE RING

DIE FIBEL

FRIEDE

Der abend umflattert mich mit schweigsamem flügel
Der tag ist hin mit dem heftigen wirbel
Dem wilden und unersättlichen treiben.
In schneller und planloser jagd
Stürzten sich meine gedanken in fülle
Die einen die andren verschlingend.
Ich seufzte: wann wird der augenblick kommen
Dass ich über dieses und jenes noch sinne?
Der abend ist eingetreten – stille.
Ich bin für mich und ungestört.
Nun bieten sich mir reichlich die stunden
Doch steh ich da magnetisch gebannt
Die augen heftend nach der lampe
Die draussen unbestimmt zurückstrahlt
Im dunklen spiegel der nacht.
Ich will nicht mehr denken . . ich kann nicht mehr:
Ich möchte nur meine kniee beugen
Gar nichts denken – beinah beten.

GELBE ROSE

Im warmen von gerüchen zitternden luftkreis
Im silbernen licht eines falschen tages
Hauchte sie von gelbem glanz umgossen
Ganz gehüllt in gelbe seide.
Nur lässt sie bestimmte formen ahnen
Wenn sich ihr mund zu sterbendem lächeln verzieht
Und ihre schulter ihr busen zu leichtem zucken.
Göttin geheimnisvoll vom Brahmaputra vom Ganges!
Du schienest aus wachs geschaffen und seelenlos
Ohne dein dichtbeschattetes auge
Wenn es der ruhe müde sich plötzlich hob.

DAS BILD

Ich wache auf erschreckt in der nacht . .
Ich sehe wolken schwarz und riesengross
Beständig sich zerfetzen und vereinen
Und während eine schar von larven
Unsichtbar doch wol zu fühlen
Meine erregte lippe zittern lässt
Erscheint mir das bild:
Heute streift ich es unter vielen . .
Im augenblick hat es so tief mich bewegt
Von sehnen durchbohrt mich verlassen.
Hernach vergass ichs . . die träume selbst
Vermochten nicht es aufzuerwecken.
Rächend sich und sein recht verlangend
Kam es in den ängsten der nacht
Mächtig sich noch einmal aufzudrängen.

PRIESTER

Mit der nebel verschwinden eilen sie
Mit dem tag der den deckenden schleier hebt.
Beide zeigen untrügliche spuren
Von freuden über maass genossen –
Zeigen weisen die schnell verraten
Wahnsinnigen kuss und umarmung.
Priester die selber zum opfer sich bringen
Ohne klugen rückhalt sich liefern
Den orgien die zerstören und töten!

Ihre stirnen spiegel der begierden!
Mit jener unleugbaren hässlichkeit
Die des lasters majestät ist.
Doch sind sie gerechtfertigt beide
Denn sie haben ja beide noch
Jugendlich haltung und gang ..
Unter Ihren langen augenbrauen
Brennen noch ungestillte wünsche
Um Seine lippen zuckt noch
Das lächeln der seligen.

GIFT DER NACHT

Ich kehre wieder. Die nahe glocke
Mit ihren am längsten hallenden schlägen
Entlässt den alten tag.
Müde sink ich zurück doch ohne schlaf –
Träumend allein.
Und ich sehe mich wieder als knaben
Der die strafe nicht kennt
Für wilde gelüste
Der hässliche falten nicht kennt
Und augen von finsterem glanz . .
Mit dem unberührten samt
Kindlicher wangen noch!

Knabe über das alter hinaus
Seltsam bewahrt
In frische und jugend
Durch der kerzen dampf
Und des weihrauchs duft!
Und so wollt ich finden
Die weise Lasterreiche
Mit zerstörenden künsten:
Wollte mit offenen armen
In mein unheil rennen
Wie ein rasender lieben
Mich ganz verderben
Und bald des todes sein.

EIN SONNENAUFGANG

Vor kurzem entzündete sich
Auf dunklem ofen des himmels
Nach kalter winternacht
Die neue sonne.
Nun zeigt sie sich im ersten leuchten
Sie schimmert still.
Mit den wolken die sie umflattern
Die ihren glanz widerspiegeln
Erhellet sie spärlich
Die morgendämmerung.
Schnell verstärkt sie sich
Und die farbigen vorhänge
Die ihr zu nah kommen
Erfasst und sengt sie.
Darauf erfüllt sich
Die ganze luft mit grauem
Undurchdringlichem rauch.
Es wächst und wächst wärme und licht
Bis endlich alles – wolken und nebel
In unendlicher feuersbrunst
Lohend verschlungen werden
Und ohne fremde nahrung
Durch eigene kraft allein
Die flammende scheibe strahlt.

WECHSEL

Ich sah sie zum erstenmal . . sie gefiel mir nicht:
Es ist an ihr nichts schönes
Als ihre schwarzen schwarzen haare.
Mein mund berührte sie flüchtig eines tags
Und sehr gefielen mir ihre haare
Und auch ihre hand . .
Es ist an ihr nichts schönes
Als ihre haare – ja – und ihre feine hand.
Ich drückte sie etwas wärmer eines tags
Und sehr gefiel mir ihre hand
Und auch ihr mund.
Heute ist nichts mehr an ihr
Was mir nicht sehr gefiele
Was ich nicht glühend anbetete.

EINER SKLAVIN

Da nun das göttliche ziel verschwindet
Und des augenblicks flamme
Ein bild von lehm verklärt:
Da lebhafte schatten von schönem
Lang gesammelt und bewahrt
Das einst verworfene opfer fordern:
Werd ich ihr sagen: schweig!
Damit nicht süsser ruf und widerruf
Der rede sich entweihe!
Dass nicht törichte niedre worte
Aus künstlichem himmel mich reissen
Zur abwesenheit des heiligen
Den ekel fügen . . ich werde sagen:
Öffne nie den mund
Ausser für küsse und seufzer . .
Schweig so wie ich schweigen werde.

IN DER GALERIE

In der welt der farben beschloss ich
Vom staub des alltags mich zu befreien.
Ich trete ein. Du gehst die beim ersten anblick
Durch deine stirn mir hohes wissen offenbartest
Und tiefes urteil durch deine augen.
Mit welcher lust hätt ich an deiner seite
Die weiten säle durchwandern mögen
Unwissend lachen stumpfe blicke
Und leeres reden der menge verachtend
Und aus den vielen formen bauen mögen
Eine einzige mauer von auserlesnem . .
Ach warum gehst du? du kennst mich nicht.
Ich streife umher unfähig zu geniessen . .
In dem weiten hinguss
Von fleisch und blau und grün
Find ich dein antlitz nicht.

HYMNEN
PILGERFAHRTEN
ALGABAL

WEIHE

Hinaus zum strom! wo stolz die hohen rohre
Im linden winde ihre fahnen schwingen
Und wehren junger wellen schmeichelchore
Zum ufermoose kosend vorzudringen.

Im rasen rastend sollst du dich betäuben
An starkem urduft · ohne denkerstörung ·
So dass die fremden hauche all zerstäuben.
Das auge schauend harre der erhörung.

Siehst du im takt des strauches laub schon zittern
Und auf der glatten fluten dunkelglanz
Die dünne nebelmauer sich zersplittern?
Hörst du das elfenlied zum elfentanz?

Schon scheinen durch der zweige zackenrahmen
Mit sternenstädten selige gefilde ·
Der zeiten flug verliert die alten namen
Und raum und dasein bleiben nur im bilde.

Nun bist du reif · nun schwebt die herrin nieder ·
Mondfarbne gazeschleier sie umschlingen ·
Halboffen ihre traumesschweren lider
Zu dir geneigt die segnung zu vollbringen:

Indem ihr mund auf deinem antlitz bebte
Und sie dich rein und so geheiligt sah
Dass sie im kuss nicht auszuweichen strebte
Dem finger stützend deiner lippe nah.

IM PARK

Rubinen perlen schmücken die fontänen ·
Zu boden streut sie fürstlich jeder strahl ·
In eines teppichs seidengrünen strähnen

Verbirgt sich ihre unbegrenzte zahl.
Der dichter dem die vögel angstlos nahen
Träumt einsam in dem weiten schattensaal . .

Die jenen wonnetag erwachen sahen
Empfinden heiss von weichem klang berauscht ·
Es schmachtet leib und leib sich zu umfahen.

Der dichter auch der töne lockung lauscht.
Doch heut darf ihre weise nicht ihn rühren
Weil er mit seinen geistern rede tauscht:

Er hat den griffel der sich sträubt zu führen.

VON EINER BEGEGNUNG

Nun rufen lange schatten mildre gluten
Und wallen nach den lippen kühler welle
Die glieder die im mittag müde ruhten –
Da kreuzest unter säulen Du die schwelle.

Die blicke mein so mich dem pfad entrafften
Auf weisser wange weisser schläfe sammt
Wie karg und scheu nur wagten sie zu haften –
Der antwort bar zur kehrung ja verdammt!

An süssem leib im gang den schlanken bogen
Sie zur umarmung zaubertoll erschauten ·
Dann sind sie feucht vor sehnen fortgezogen
Eh sie in deine sich zu tauchen trauten.

O dass die laune dich zurück mir brächte!
Dass neue nicht die fernen formen stören!
Wie ward es mir gebot für lange nächte
Treu zug um zug dein bildnis zu beschwören!

Umsonst · ein steter regen bittrer lauge
Benezt und bleicht was mühevoll ich male.
Es geht . . . wie war dein haar und wie dein auge?
Es geht und stirbt in bebendem finale.

NEULÄNDISCHE LIEBESMAHLE

I

Die kohle glüht · mit dem erkornen rauche
Beträufle sie! der guss verfliegt und zischt.
Dass er uns in die dichten wolken tauche
Wo frommer wunsch mit süsser gier sich mischt!

Lass auf dem lüster viele kerzen flammen
Mit schwerem qualme wie in heilgem dom ·
Die hände legen schweigsam wir zusammen
Zu träumen einen melodienstrom!

Kein zarter anhauch! nein in jenen chören
Wird jungfräulicher flaum den einklang stören
Wie künsten – aber falsch – ergeben haar.

Wirf neue körner auf die opferschale!
Dass blonder wirbel unsern sinnen male
Die Wissensvolle müd und wunderbar.

II

Den blauen atlas in dem lagerzelt
Bedecken goldne mond- und sternenzüge ·
Auf einen sockel sind am saum gestellt
Die malachit- und alabasterkrüge.

Drei ketten eine kupferampel halten
Die unsrer stirnen falben schein verhehlt ·
Uns hüllen eines weiten burnus falten
Und – dass uns nicht ein myrtenbüschel fehlt!

Bald hören wir des tranks orakellaut
Auf teppichen aus weichem haar gesponnen.
Der knabe wohl mit jedem wink vertraut

Verbeugt sich würdig vor dem hospodar . .
Mir dämmert wie in einem zauberbronnen
Die frühe zeit wo ich noch könig war.

EIN HINGANG

Die grauen buchen sich die hände reichen
Den strand entlang · vom wellendrang beleckt
Dem gelben saatfeld grüne wiesen weichen ·
Das landhaus unter gärten sich verdeckt.

Den jungen dulder vor der windenlaube
Woltätig milde strahlenhand bestreift ·
An neues lied noch dämmert ihm ein glaube ·
Sein blick ins blaue grenzenlose schweift

Wo schiffe gleiten mit erhobnen schilden ·
Wo andre schlafen wehrlos · froh der bucht ·
Und weit wo wolken lichte berge bilden
Er seiner wünsche wunderlande sucht . .

Der lieben auge starr in tränen schaut:
Schon nahm er scheu das göttliche geschenk
Von leiser trennungswehmut nur betaut ·
Der klage bar · des ruhmes ungedenk.

STRAND

O lenken wir hinweg von wellenauen!
Die · wenn auch wild im wollen und mit düsterm rollen
Nur dulden scheuer möwen schwingenschlag
Und stet des keuschen himmels farben schauen.
Wir heuchelten zu lang schon vor dem tag.

Zu weihern grün mit moor und blumenspuren
Wo gras und laub und ranken wirr und üppig schwanken
Und ewger abend einen altar weiht!
Die schwäne die da aus der buchtung fuhren ·
Geheimnisreich · sind unser brautgeleit.

Die lust entführt uns aus dem fahlen norden:
Wo deine lippen glühen fremde kelche blühen –
Und fliesst dein leib dahin wie blütenschnee
Dann rauschen alle stauden in akkorden
Und werden lorbeer tee und aloe.

GESPRÄCH

Nie sei mir freude an den kalten ehren:
Wenn königlich du deinen leib verbietest
Den niedren mägden die ihn dreist ergehren
Und deren du mit seufzen nur entrietest.

Vergebens musst du ja die hände ringen
Nach einem labetrunk aus hoher sfäre ·
O dass um selber ihn herabzubringen
Dass einer mutter ich geboren wäre!

Herr oder flehend mögest du mich laden ·
Es sollte mir kein doppel-rot entquillen ·
Ich würde dich in seidenwellen baden
Auf schwerem purpur freudig dir zu willen.

Doch so kann ich mit schattenkuss nur trösten
Ich leichter wolke kind und lichter plane:
Im chaos fragen · jubeln dem Erlösten
Und dulden wie ich deine duldung ahne.

BILDER

DER INFANT

Bei schild und degen unter fahlem friese
Mit weissem antlitz lächelt der infant
In dunklem goldumgürtetem oval.
Nicht lang im damals unberührten saal
Ein zwillingsbruder: kühle bergesbrise
Sie war ein allzu rauher spieltrabant.

Doch wird er selber nimmermehr bedauern
Dass er zum finstern mann nicht aufgeschossen
Wie der und jener an den nachbarmauern ·
Denn seligkeiten wurden ihm beschlossen:

Wenn vor dem mond die glasgranaten blühn
Dass eine lichte elfenmaid ihn hole ·
Er folgen dürfe oft in flug und fall
Mit ihr dem treubewahrten seidenball
Der rosenfarben und olivengrün
Noch schimmert auf der eichenen konsole.

EIN ANGELICO

Auf zierliche kapitel der legende
– Den erdenstreit bewacht von ewgem rat ·
Des strengen ahnen wirkungsvolle sende –
Errichtet er die glorreich grosse tat:

Er nahm das gold von heiligen pokalen ·
Zu hellem haar das reife weizenstroh ·
Das rosa kindern die mit schiefer malen ·
Der wäscherin am bach den indigo.

Der herr im glanze reinen königtumes
Zur seite sanfte sänger seines ruhmes
Und sieger der Chariten und Medusen.

Die braut mit immerstillem kindesbusen
Voll demut aber froh mit ihrem lohne
Empfängt aus seiner hand die erste krone.

DIE GÄRTEN SCHLIESSEN

Frühe nacht verwirrt die ebnen bahnen ·
　　Kalte traufe trübt die weiher ·
Glückliche Apolle und Dianen
　　Hüllen sich in nebelschleier.

Graue blätter wirbeln nach den gruften.
　　Dahlien levkojen rosen
In erzwungenem orchester duften ·
　　Wollen schlaf bei weichen moosen.

Heisse monde flohen aus der pforte.
　　Ward dein hoffen deine habe?
Baust du immer noch auf ihre worte
　　Pilger mit der hand am stabe?

Mühle lass die arme still
Da die haide ruhen will.
Teiche auf den tauwind harren ·
Ihrer pflegen lichte lanzen
Und die kleinen bäume starren
Wie getünchte ginsterpflanzen.

Weisse Kinder schleifen leis
Überm see auf blindem eis
Nach dem segentag · sie kehren
Heim zum dorf in stillgebeten ·
Die beim fernen gott der lehren ·
Die schon bei dem naherflehten.

Kam ein pfiff am grund entlang?
Alle lampen flackern bang.
War es nicht als ob es riefe?
Es empfingen ihre bräute
Schwarze knaben aus der tiefe . .
Glocke läute glocke läute!

GESICHTE

I

Wenn aus der gondel sie zur treppe stieg
So liess sie lässig die gewande wallen
Und wie nach grollend anerkanntem sieg
Des greisen Edlen stütze sich gefallen.

Kein sanfter ton verfing in ihrem ohr ·
Bei festen sass sie eisig in den sälen ·
Nur an den decken brauner engel chor
Verstand es ihr von freuden zu erzählen.

In schweren sammet hat sie sich gebauscht ·
Den ersten hub aus unerhörten frachten
Und an dem reichen öle sich berauscht
Das neulings ihr die Inderschiffe brachten.

Nun hat sie in verhangenem gemach
Zu einem ruhmeslosen fant gesprochen:
Vermelde man am markte meine schmach ·
Ich liege vor dir niedrig und gebrochen.

II

Ich darf so lange nicht am tore lehnen ·
Zum garten durch das gitter schaun ·
Ich höre einer flöte fernes sehnen ·
Im schwarzen lorbeer lacht ein faun.

So oft ich dir am roten turm begegne
Du lohnest nie mich mit gelindrem tritt ·
Du weisst nicht wie ich diese stunde segne
Und traurig bin da sie entglitt.

Ich leugne was ich selber mir verheissen . .
Auch wir besitzen einen alten ruhm ·
Kann ich mein tuch von haar und busen reissen
Und büssen mit verfrühtem witwentum?

O mög er ahnen meiner lippe gaben
– Ich ahnte sie seit er als traum erschien –
Die oleander die in duft begraben
Und andre leise schmeichelnd wie schasmin.

Ich darf so lange nicht am tore lehnen ·
Zum garten durch das gitter schaun ·
Ich höre einer flöte fernes sehnen ·
Im schwarzen lorbeer lacht ein faun.

Schweige die klage!
Was auch der neid
Zu den gütern beschied.
Suche und trage
Und über das leid
Siege das lied!

So will es die lehre.
Er tat es in ehre
Schon wieder ein jahr.
Der ost wie der süd
Ein täuscher ihm war
Und nun ist er müd.

Am fuss einer eiche
Da schuf er ein grab
Für mantel und stab ·
Sie wurden zur leiche:
Nun rüst ich zur fahrt
Von fröhlicher art.

Dann brach der damm
Verhaltenen quellen ·
Sein auge ward feucht
Er stöhnte ... mir deucht
Ich soll auch am stamm
Meine leier zerschellen.

Dass er auf fernem felsenpfade
Sich einsam in dem lichte bade ·
Dass er dem laub dem wasser lausche
Und dass der klage klang verrausche ·
Dass er in sturmes trieb sich stähle
Und heiter sich die heimat wähle!

Aber durch wessen verwünschung und welche
Tücke gelangt er bei nacht an ein moor?
Auf dem leise sich neigenden stengel
Ragt aus dem ried eine lilje hervor ·
Flügel wiegen im milchweissen kelche.
Böser engel · verführender engel!

Der wandrer wankt im guten wege ·
Im schilfe ward ein raunen rege ·
Den langen schattenzug der rüstern
Verfolgt er jeder heilung bar ·
Sein auge flackert irr im düstern ·
Die winde wirren ihm das haar.

DIE SPANGE

Ich wollte sie aus kühlem eisen
Und wie ein glatter fester streif ·
Doch war im schacht auf allen gleisen
So kein metall zum gusse reif.

Nun aber soll sie also sein:
Wie eine grosse fremde dolde
Geformt aus feuerrotem golde
Und reichem blitzendem gestein.

Ihr hallen prahlend in reichem gewande
Wisst nicht was unter dem fuss euch ruht –
Den meister lockt nicht die landschaft am strande
Wie jene blendend im schoosse der flut.

Die häuser und höfe wie er sie ersonnen
Und unter den tritten der wesen beschworen
Ohne beispiel die hügel die bronnen
Und grotten in strahlendem rausche geboren.

Die einen blinken in ewigen wintern ·
Jene von hundertfarbigen erzen
Aus denen juwelen als tropfen sintern
Und flimmern und glimmen vor währenden Kerzen.

Die ströme die in den höheren stollen
Wie scharlach granat und rubinen sprühten
Verfärben sich blässer im niederrollen
Und fliessen von nun ab wie rosenblüten.

Auf seeen tiefgrün in häfen verloren
Schaukeln die ruderentbehrenden nachen ·
Sie wissen auch in die wellen zu bohren
Bei armige riffe und gähnende drachen.

Der schöpfung wo er nur geweckt und verwaltet
Erhabene neuheit ihn manchmal erfreut ·
Wo ausser dem seinen kein wille schaltet
Und wo er dem licht und dem wetter gebeut.

Mein garten bedarf nicht luft und nicht wärme ·
Der garten den ich mir selber erbaut
Und seiner vögel leblose schwärme
Haben noch nie einen frühling geschaut.

Von kohle die stämme · von kohle die äste
Und düstere felder am düsteren rain ·
Der früchte nimmer gebrochene läste
Glänzen wie lava im pinien-hain.

Ein grauer schein aus verborgener höhle
Verrät nicht wann morgen wann abend naht
Und staubige dünste der mandel-öle
Schweben auf beeten und anger und saat.

Wie zeug ich dich aber im heiligtume
– So fragt ich wenn ich es sinnend durchmass
In kühnen gespinsten der sorge vergass –
Dunkle grosse schwarze blume?

Wenn um der zinnen kupferglühe hauben
Um alle giebel erst die sonne wallt
Und kühlung noch in höfen von basalt
Dann warten auf den kaiser seine tauben.

Er trägt ein kleid aus blauer Serer-seide
Mit sardern und saffiren übersät
In silberhülsen säumend aufgenäht ·
Doch an den armen hat er kein geschmeide.

Er lächelte · sein weisser finger schenkte
Die hirsekörner aus dem goldnen trog ·
Als leis ein Lyder aus den säulen bog
Und an des herren fuss die stirne senkte.

Die tauben flattern ängstig nach dem dache
›Ich sterbe gern weil mein gebieter schrak‹
Ein breiter dolch ihm schon im busen stak ·
Mit grünem flure spielt die rote lache.

Der kaiser wich mit höhnender gebärde . .
Worauf er doch am selben tag befahl
Dass in den abendlichen weinpokal
Des knechtes name eingegraben werde.

O mutter meiner mutter und Erlauchte
Wie mich so ernster worte folge stört:
Dein tadel weil mein geist nicht dir gehört
Dass ich ihn achtlos ohne tat verhauchte.

Gedenkt es dir wie viele speere pfiffen
Als ich im Osten um die krone rang
Und lob und vorwurf dem Verwegnen klang
Der damals noch die erde nicht begriffen?

Nicht ohnmacht rät mir ab von eurem handeln ·
Ich habe euren handels wahn erfasst ·
O lass mich ungerühmt und ungehasst
Und frei in den bedingten bahnen wandeln.

Und wolle nicht den bruder mir entfremden
– Erkannt ich doch im schlaf dein augenmerk? –
Du fesselst eifrig ihn an blödes werk ·
Dein zwang verkleidet ihn mit sklavenhemden.

Sieh ich bin zart wie eine apfelblüte
Und friedenfroher denn ein neues lamm ·
Doch liegen eisen stein und feuerschwamm
Gefährlich in erschüttertem gemüte.

Hernieder steig ich eine marmortreppe ·
Ein leichnam ohne haupt inmitten ruht ·
Dort sickert meines teuren bruders blut ·
Ich raffe leise nur die purpurschleppe.

Becher am boden ·
Lose geschmeide ·
Frauen dirnen
Schlanke schenken
Müde sich senken ·
Ledig die lende
Busen und hüfte ·
Um die stirnen
Der kränze rest.

Schläfernder broden
Traufender düfte ·
Weinkönig scheide!
Aller ende
Ende das fest!

Rosen regnen ·
Purpurne satte
Die liebkosen?
Weisse matte
Euch zu laben?
Malvenrote ·
Gelbe tote:
Manen-küsse
Euch zu segnen.

Auf die schleusen!
Und aus reusen
Regnen rosen ·
Güsse flüsse
Die begraben.

So sprach ich nur in meinen schwersten tagen:
Ich will dass man im volke stirbt und stöhnt
Und jeder lacher sei ans kreuz geschlagen.
Es ist ein groll der für mich selber dröhnt.

ICH bin als einer so wie SIE als viele ·
Ich tue was das leben mit mir tut
Und träf ich sie mit ruten bis aufs blut:
Sie haben korn und haben fechterspiele.

Wenn ich in ihrer tracht und mich vergessend
Geheim in ihren leeren lärm gepasst
– Ich fürchte – hab ich nie sie tief gehasst ·
Der eignen artung härte recht ermessend.

Dann schloss ich hinter aller schar die riegel ·
Ich ruhte ohne wunsch und mild und licht
Und beinah einer schwester angesicht
Erwiderte dem schauenden ein spiegel.

Graue rosse muss ich schirren
Und durch grause fluren jagen
Bis wir uns im moor verirren
Oder blitze mich erschlagen.

Auf dem samenlosen acker
Viele helden stumm verbleichen ·
Nur das russende geflacker
Loher fichten ehrt die leichen.

Schmal in regelgraden ketten
Rinnen ziegelrote bäche ·
Seufzen singt aus ihren betten ·
Hahler wind umkreist die fläche.

Aufgelöst im sande wühlend
Frauenhaare · dichte strähnen . .
Frauentränen wunden kühlend ·
Reiche tränen – wahre tränen?

Fern ist mir das blumenalter
Wo die zähre noch genuss.
Starb im reif der sommerfalter
Dem ein atem schon ein kuss?

Der auf gras und klee und garbe
Und in reiche gärten flog ·
Einen hauch von duft und farbe
Rasch aus allen blüten sog?

Dem die nacht ein gut erteilte
Das er tags umsonst erspäht ·
Den sie mit der hoffnung heilte
Dass ihn doch die tulpe lädt.

Kommt er wieder mit der meisen
Mit der lerchen erstem ton?
Wird er neu den juni preisen
Schläft er oder starb er schon?

VOGELSCHAU

Weisse schwalben sah ich fliegen ·
Schwalben schnee- und silberweiss ·
Sah sie sich im winde wiegen ·
In dem winde hell und heiss.

Bunte häher sah ich hüpfen ·
Papagei und kolibri
Durch die wunder-bäume schlüpfen
In dem wald der Tusferi.

Grosse raben sah ich flattern ·
Dohlen schwarz und dunkelgrau
Nah am grunde über nattern
Im verzauberten gehau.

Schwalben seh ich wieder fliegen ·
Schnee- und silberweisse schar ·
Wie sie sich im winde wiegen
In dem winde kalt und klar!

DIE BÜCHER DER HIRTEN- UND PREISGEDICHTE DER SAGEN UND SÄNGE UND DER HÄNGENDEN GÄRTEN

FLURGOTTES TRAUER

So werden jene mädchen die mit kränzen
In haar und händen aus den ulmen traten
Mir sinnbeschwerend und verderblich sein.
Ich sah vom stillen haus am hainesrand
Die grünen und die farbenvollen felder
Zur sanften halde steigen und den weissdorn
Der blüten überfluss herniederstreun:
Als sie des weges huschend mich gewahrten ·
Verhüllte dinge raunten und dann hastig
Und lachend mir entflohn trotz meiner stimme ·
Trotz meiner pfeife weichem bitte-tone.
Erst als ich an dem flachen borne trinkend
Mir widerschien mit furchen auf der stirn
Und mit verworrnen locken wusst ich ganz
Was sie sich zischend durch die lüfte riefen
Was an der felswand gellend weiterscholl.
Nun ist mir alle lust dahin am teiche
Die angelrute auszuhalten oder
Die allzu schwache weidenflöte lockend
Mit meinem finger zu betupfen · sondern
Ich will den abend zwischen grauen nebeln
Zum Herrn der Ernte klagen sprechen weil er
Zum ewigsein die schönheit nicht verlieh.

DER HERR DER INSEL

Die fischer überliefern dass im süden
Auf einer insel reich an zimmt und öl
Und edlen steinen die im sande glitzern
Ein vogel war der wenn am boden fussend
Mit seinem schnabel hoher stämme krone
Zerpflücken konnte · wenn er seine flügel
Gefärbt wie mit dem saft der Tyrer-schnecke
Zu schwerem niedrem flug erhoben: habe
Er einer dunklen wolke gleichgesehn.
Des tages sei er im gehölz verschwunden ·
Des abends aber an den strand gekommen ·
Im kühlen windeshauch von salz und tang
Die süsse stimme hebend dass delfine
Die freunde des gesanges näher schwammen
Im meer voll goldner federn goldner funken.
So habe er seit urbeginn gelebt ·
Gescheiterte nur hätten ihn erblickt.
Denn als zum erstenmal die weissen segel
Der menschen sich mit günstigem geleit
Dem eiland zugedreht sei er zum hügel
Die ganze teure stätte zu beschaun gestiegen ·
Verbreitet habe er die grossen schwingen
Verscheidend in gedämpften schmerzeslauten.

ERINNA

Sie sagen dass bei meinem sang die blätter
Und die gestirne beben vor entzücken ·
Dass die behenden wellen lauschend säumen ·
Ja dass sich menschen trösten und versöhnen.
Erinna weiss es nicht · sie fühlt es nicht.
Sie steht allein am meere stumm und denkt:
So war Eurialus beim rossetummeln
So kam Eurialus geschmückt vom mahle –
Wie mag er sein bei meinem neuen liede?
Wie ist Eurialus vorm blick der liebe?

FRAUENLOB

In der stadt mit alten firsten und giebelbildern ·
Den schneckenbögen an gebälk und tür ·
Gemalten scheiben · türmen die an die sterne rühren ·
Mit hohlen gängen und verwischten wappenschildern ·
Bei den brunnen wann morgen und abend graut
Bei der gelächter und der wasser silbernem laut:
Ein leben voll zäher bürden
Ein ganzes leben dunklen duldertumes
War ich der herold eurer würden
War ich der sänger eures ruhmes:

Weisse kinder der bittgepränge
Mit euren kerzen fahnen bändern ·
Führerinnen der heitren klänge
In farbigen lockeren gewändern ·
Bleiche freundinnen der abendmahle ·
Patriziertöchter stolze hochgenannte
Die unter heiligem portale
Die schweren kleider falten der levante –
Und habe meiner töne ganze kunst gepflegt
Für euch ihr zierden im fest- und jubelsaale ·
Herrinnen mächtig und unbewegt.

Wer von euch aber reichte mir zum grusse
Den becher und den eichenkranz entgegen
Und sagte mir dass sie mich würdig wähne
Ihr leichtes band gehorsam anzulegen?
Welche träne und welche milde busse
Gab antwort je auf meiner leier tränen?
Ich fühle friedlich schon des todes fuss.

Bei der glocke klage folgen jungfraun und bräute sacht
Einem sarg in düstrer tracht.
Nur zarte hände reine und hehre
Dürfen ihn zum münster tragen zum gewölb und grab
Mit königlicher ehre
Den toten priester ihrer schönheit zu verklären.
Mädchen und mütter unter den zähren
Gemeinsamer witwenschaft giessen edle weine
Blumen und edelsteine
Fromm in die gruft hinab.

IM UNGLÜCKLICHEN TONE DESSEN VON . . .

Löset von diesem brief sanft den knoten ·
Empfanget ohne groll meinen boten ·
Denket er käme von einem toten!

Als ich zuerst euch traf habt ihr gesprochen:
›Dort haust ein wurm der jeden feind verachtet‹
Zu seinen klüften bin ich flugs gesprengt ·
Nach heissem ringen hab ich ihn erstochen ·
Doch seitdem blieb mein haar versengt –
Worob ihr lachtet.

›Ich hätte gern den turban des korsaren‹
So scherztet ihr – ich folgte blind
Und bin aufs meer in lärm und streit gefahren ·
Mit meinem linken arme musst ich's büssen ·
Den turban legt ich euch zu füssen ·
Ihr schenktet ihn als spielzeug einem kind.

Ihr saht wie ich mein glück und meinen leib
In eurem dienst verdarb ·
Euch grämte nicht in fährden mein verbleib ·
Ihr danktet kaum wenn ich in sturm und staub
Euch ruhm erwarb
Und bliebet meinem flehen taub.

Nun leid ich an einer tiefen wunde ·
Doch dringt euer lob bis zur lezten stunde ·
Schöne dame · aus meinem munde.

VOM RITTER DER SICH VERLIEGT

Hör ich nicht dumpf ein klirren ·
Kämpfer die die rosse schirren?
Bange rufe vom altan ·
Speere schwirren?

Drunten schlägt ein tor nur an.

Ist es nicht der gäste lache?
Emsig knecht und kastellan
Unter rebenschmuckem dache?
Frohe wache?

Wurde nicht in zarte saiten
Ein gedehnter griff getan:
Ahnungsloser schöner zeiten
Scheues gleiten?

Drunten schlägt ein tor nur an.

Worte trügen · worte fliehen ·
Nur das lied ergreift die seele ·
Wenn ich dennoch dich verfehle
Sei mein mangel mir verziehen.

Lass mich wie das kind der wiesen
Wie das kind der dörfer singen ·
Aus den sälen will ich dringen
Aus dem fabelreich der riesen.

Höhne meine sanfte plage!
Einmal muss ich doch gestehen
Dass ich dich im traum gesehen
Und seit dem im busen trage.

Heisst es viel dich bitten
Wenn ich einmal still
Nachdem ich lang gelitten
Vor dir knieen mag?

Deine hand ergreifen
Leise drücken mag
Und im kusse streifen
Kurz und fromm und still?

Nennst du es erhören
Wenn gestreng und still
Ohne mich zu stören
Dein wink mich dulden mag?

Sieh mein kind ich gehe.
Denn du darfst nicht kennen
Nicht einmal durch nennen
Menschen müh und wehe.

Mir ist um dich bange.
Sieh mein kind ich gehe
Dass auf deiner wange
Nicht der duft verwehe.

Würde dich belehren ·
Müsste dich versehren
Und das macht mir wehe.
Sieh mein kind ich gehe.

Das lied des zwergen:

I

Ganz kleine vögel singen ·
Ganz kleine blumen springen ·
Ihre glocken klingen.

Auf hellblauen heiden
Ganz kleine lämmer weiden ·
Ihr fliess ist weiss und seiden.

Ganz kleine kinder neigen
Und drehen sich laut im reigen –
Darf der zwerg sich zeigen?

II

Ich komme vom palaste
Zu eurer kinder tanz
In ihrem frohen kranz
Will eines mich gaste?

Der ich mich scheu verberge
Ich habe kron und thron ·
Ich bin der feien sohn
Ich bin der fürst der zwerge.

III

Dir ein schloss · dir ein schrein –
Fülle aller schätze und ihr glanz sei dein!

Dir ein schwert · dir ein speer –
Zarter gunst der schönen sei dein weg nie leer.

Dir kein ruhm · dir kein sold –
Dir allein im liede liebe und gold ·

Erwachen der braut:

Es klingt vom turme her
Mit erstem dämmerstrahl
Das lied der himmelshelden ·
Den festesmorgen melden
Ergreifend ernst und schwer
Die hörner im choral.

Bin ich im traum noch? nein.
Ein ruf am tor erscholl . .
Der nächte sanken sieben.
Es wird ein bote sein
Vom knaben den ich lieben
Und mir erwählen soll.

KINDLICHES KÖNIGTUM

Du warst erkoren schon als du zum throne
In deiner väterlichen gärten kies
Nach edlen steinen suchtest und zur krone
In deren glanz dein haupt sich glücklich pries.

Du schufest fernab in den niederungen
Im rätsel dichter büsche deinen staat ·
In ihrem düster ward dir vorgesungen
Die lust an fremder pracht und ferner tat.

Genossen die dein blick für dich entflammte
Bedachtest du mit sold und länderei ·
Sie glaubten deinen plänen · deinem amte
Und dass es süss für dich zu sterben sei.

Es waren nächte deiner schönsten wonnen
Wenn all dein volk um dich gekniet im rund
Im saale voll von zweigen farben sonnen
Der wunder horchte wie sie dir nur kund.

Das weisse banner über dir sich spannte
Und blaue wolke stieg vom erzgestell
Um deine wange die vom stolze brannte
Um deine stirne streng und himmelhell.

Halte die purpur- und goldnen
gedanken im zaum ·
Schliesse die lider
Unter dem flieder
Und wiege dich wieder
Im mittagstraum.

Vögel verstummt in den gärten
auf blume und ast ·
Mit kronen und reifen
Metallblauen streifen
Geringelten schweifen ·
Sie schaukeln zur rast.

Ferne schlagen die trommeln
aus silber und zinn.
Doch keine klänge
Nicht wechselgesänge
Noch harfenstränge
Beladen den sinn.

Zierat des spitzigen turms der
die büsche erhellt ·
Verschlungnes gefüge
Geschnörkelte züge
Verbieten die lüge
Von wesen und welt.

Unterm schutz von dichten blättergründen
Wo von sternen feine flocken schneien ·
Sachte stimmen ihre leiden künden ·
Fabeltiere aus den braunen schlünden
Strahlen in die marmorbecken speien ·
Draus die kleinen bäche klagend eilen:
Kamen kerzen das gesträuch entzünden ·
Weisse formen das gewässer teilen.

Jedem werke bin ich fürder tot.
Dich mir nahzurufen mit den sinnen ·
Neue reden mit dir auszuspinnen ·
Dienst und lohn gewährung und verbot ·
Von allen dingen ist nur dieses not
Und weinen dass die bilder immer fliehen
Die in schöner finsternis gediehen –
Wann der kalte klare morgen droht.

Wenn ich heut nicht deinen leib berühre
Wird der faden meiner seele reissen
Wie zu sehr gespannte sehne.
Liebe zeichen seien trauerflöre
Mir der leidet seit ich dir gehöre.
Richte ob mir solche qual gebühre ·
Kühlung sprenge mir dem fieberheissen
Der ich wankend draussen lehne.

Streng ist uns das glück und spröde ·
Was vermocht ein kurzer kuss?
Eines regentropfens guss
Auf gesengter bleicher öde
Die ihn ungenossen schlingt ·
Neue labung missen muss
Und vor neuen gluten springt.

Wenn sich bei heilger ruh in tiefen matten
Um unsre schläfen unsre hände schmiegen ·
Verehrung lindert unsrer glieder brand:
So denke nicht der ungestalten schatten
Die an der wand sich auf und unter wiegen ·
Der wächter nicht die rasch uns scheiden dürfen
Und nicht dass vor der stadt der weisse sand
Bereit ist unser warmes blut zu schlürfen.

Sprich nicht immer
Von dem laub ·
Windes raub ·
Vom zerschellen
Reifer quitten ·
Von den tritten
Der vernichter
Spät im jahr.
Von dem zittern
Der libellen
In gewittern
Und der lichter
Deren flimmer
Wandelbar.

Wir bevölkerten die abend-düstern
Lauben · lichten tempel · pfad und beet
Freudig – sie mit lächeln ich mit flüstern –
Nun ist wahr dass sie für immer geht.
Hohe blumen blassen oder brechen ·
Es erblasst und bricht der weiher glas
Und ich trete fehl im morschen gras ·
Palmen mit den spitzen fingern stechen.
Mürber blätter zischendes gewühl
Jagen ruckweis unsichtbare hände
Draussen um des edens fahle wände.
Die nacht ist überwölkt und schwül.

STIMMEN IM STROM

Liebende klagende zagende wesen
Nehmt eure zuflucht in unser bereich ·
Werdet geniessen und werdet genesen ·
Arme und worte umwinden euch weich.

Leiber wie muscheln · korallene lippen
Schwimmen und tönen in schwankem palast ·
Haare verschlungen in ästige klippen
Nahend und wieder vom strudel erfasst.

Bläuliche lampen die halb nur erhellen ·
Schwebende säulen auf kreisendem schuh –
Geigend erzitternde ziehende wellen
Schaukeln in selig beschauliche ruh.

Müdet euch aber das sinnen das singen ·
Fliessender freuden bedächtiger lauf ·
Trifft euch ein kuss: und ihr löst euch in ringen
Gleitet als wogen hinab und hinauf.

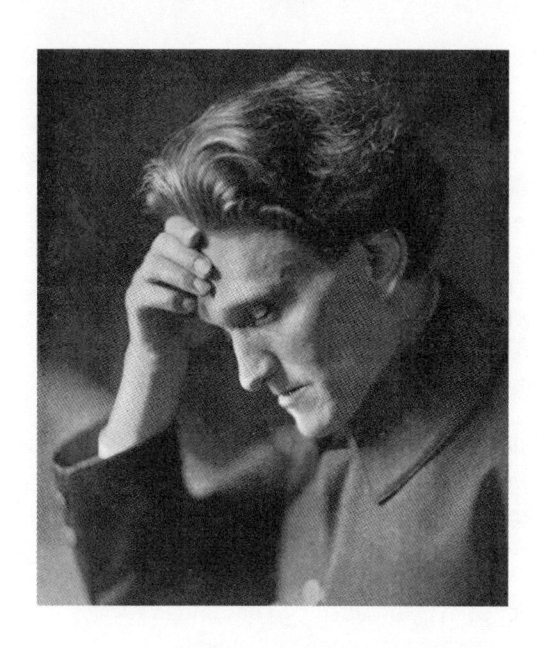

DAS JAHR DER SEELE

Komm in den totgesagten park und schau:
Der schimmer ferner lächelnder gestade ·
Der reinen wolken unverhofftes blau
Erhellt die weiher und die bunten pfade.

Dort nimm das tiefe gelb · das weiche grau
Von birken und von buchs · der wind ist lau ·
Die späten rosen welkten noch nicht ganz ·
Erlese küsse sie und flicht den kranz ·

Vergiss auch diese lezten astern nicht ·
Den purpur um die ranken wilder reben
Und auch was übrig blieb von grünem leben
Verwinde leicht im herbstlichen gesicht.

Ihr rufe junger jahre die befahlen
Nach IHR zu suchen unter diesen zweigen:
Ich muss vor euch die stirn verneinend neigen ·
Denn meine liebe schläft im land der strahlen.

Doch schickt ihr SIE mir wieder die im brennen
Des sommers und im flattern der Eroten
Sich als geleit mir schüchtern dargeboten
Ich will sie diesmal freudig anerkennen.

Die reifen trauben gären in den bütten ·
Doch will ich alles was an edlen trieben
Und schöner saat vom sommer mir geblieben
Aus vollen händen vor ihr niederschütten.

Umkreisen wir den stillen teich
In den die wasserwege münden!
Du suchst mich heiter zu ergründen ·
Ein wind umweht uns frühlings-weich.

Die blätter die den boden gilben
Verbreiten neuen wolgeruch ·
Du sprichst mir nach in klugen silben
Was mich erfreut im bunten buch.

Doch weisst du auch vom tiefen glücke
Und schätzest du die stumme träne?
Das auge schattend auf der brücke
Verfolgest du den zug der schwäne.

Du willst am mauerbrunnen wasser schöpfen
Und spielend in die kühlen strahlen langen ·
Doch scheint es mir du wendest mit befangen
Die hände von den beiden löwenköpfen.

Den ring mit dem erblindeten juwele
Ich suchte dir vom finger ihn zu drehen ·
Dein feuchtes auge küsste meine seele
Als antwort auf mein unverhülltes flehen.

Wir werden heute nicht zum garten gehen ·
Denn wie uns manchmal rasch und unerklärt
Dies leichte duften oder leise wehen
Mit lang vergessner freude wieder nährt:

So bringt uns jenes mahnende gespenster
Und leiden das uns bang und müde macht.
Sieh unterm baume draussen vor dem fenster
Die vielen leichen nach der winde schlacht!

Vom tore dessen eisen-lilien rosten
Entfliegen vögel zum verdeckten rasen
Und andre trinken frierend auf den pfosten
Vom regen aus den hohlen blumen-vasen.

Im freien viereck mit den gelben steinen
In dessen mitte sich die brunnen regen
Willst du noch flüchtig späte rede pflegen
Da heut dir hell wie nie die sterne scheinen.

Doch tritt von dem basaltenen behälter!
Er winkt die toten zweige zu bestatten ·
Im vollen mondenlichte weht es kälter
Als drüben unter jener föhren schatten . .

Ich lasse meine grosse traurigkeit
Dich falsch erraten um dich zu verschonen ·
Ich fühle hat die zeit uns kaum entzweit
So wirst du meinen traum nicht mehr bewohnen.

Doch wenn erst unterm schnee der park entschlief
So glaub ich dass noch leiser trost entquille
Aus manchen schönen resten – strauss und brief –
In tiefer kalter winterlicher stille.

Die steine die in meiner strasse staken
Verschwanden alle in dem weichen schooss
Der in der ferne bis zum himmel schwillt ·
Die flocken weben noch am bleichen laken

Und treibt an meine wimper sie ein stoss
So zittert sie wie wenn die träne quillt . .
Zu sternen schau ich führerlos hinan ·
Sie lassen mich mit grauser nacht allein.

Ich möchte langsam auf dem weissen plan
Mir selber unbewusst gebettet sein.
Doch wenn die wirbel mich zum abgrund trügen ·
Ihr todeswinde mich gelinde träft:

Ich suchte noch einmal nach tor und dach.
Wie leicht dass hinter jenen höhenzügen
Verborgen eine junge hoffnung schläft!
Beim ersten lauen hauche wird sie wach.

Ich trat vor dich mit einem segenspruche
Am abend wo für dich die kerzen brannten
Und reichte dir auf einem samtnen tuche
Die höchste meiner gaben: den demanten.

Du aber weisst nichts von dem opferbrauche ·
Von blanken leuchtern mit erhobnen ärmen ·
Von schalen die mit wolkenreinem rauche
Der strengen tempel finsternis erwärmen ·

Von engeln die sich in den nischen sammeln
Und sich bespiegeln am kristallnen lüster ·
Von glühender und banger bitte stammeln
Von halben seufzern hingehaucht im düster

Und nichts von wünschen die auf untern sprossen
Des festlichen altars vernehmlich wimmern . .
Du fassest fragend kalt und unentschlossen
Den edelstein aus gluten tränen schimmern.

Du willst mit mir ein reich der sonne stiften
Darinnen uns allein die freude ziere ·
Sie heilige die haine und die triften
Eh unsre pracht und ihre sich verliere.

Dass dieses süsse leben uns genüge ·
Dass wir hier wohnen dankbereite gäste!
Und wort und lied ersinnst du dass gefüge
Die klagen flattern in die höchsten äste.

Du singst das lied der summenden gemarken ·
Das sanfte lied vor einer tür am abend
Und lehrest dulden wie die einfach starken ·
In lächeln jede träne scheu begrabend:

Die vögel fliehen vor den herben schlehen ·
Die falter bergen sich in sturmes-toben
Sie funkeln wieder auf so er verstoben –
Und wer hat jemals blumen weinen sehen?

Gemahnt dich noch das schöne bildnis dessen
Der nach den schluchten-rosen kühn gehascht ·
Der über seiner jagd den tag vergessen ·
Der von der dolden vollem seim genascht?

Der nach dem parke sich zur ruhe wandte ·
Trieb ihn ein flügelschillern allzuweit ·
Der sinnend sass an jenes weihers kante
Und lauschte in die tiefe heimlichkeit . .

Und von der insel moosgekrönter steine
Verliess der schwan das spiel des wasserfalls
Und legte in die kinderhand die feine
Die schmeichelnde den schlanken hals.

Ruhm diesen wipfeln! dieser farbenflur!
Sie lehrten uns das glück in seinem flüchten
Zu streifen und es bleibt noch zarte spur
An unsrer hand wie schmelz von reifen früchten.

Schon weht das wimpel und es säumt nicht mehr ·
Aus scheidestunden werden tränen rinnen . .
Ob einer zweifelhaften wiederkehr
In offnem schmerze zogest du von hinnen.

Ich aber horche in die nahe nacht
Ob dort ein lezter vogelruf vermelde
Den schlaf aus dem sie froh und schön erwacht –
Der liebe sachten schlaf im blumenfelde.

Lieder wie ich gern sie sänge
Darf ich freunde! noch nicht singen ·
Nur dies flüchtige gedränge
Scheuer reime will gelingen.

Hinter reben oder hinter
Stillen mauern zu kredenzen
Zur erheitrung weisser winter
Und zum trost in fahlen lenzen.

Was ich nach den harten fehden
In den schooss des friedens bette
Und aus reicher jugend eden
In das leben über-rette.

Zu meinen träumen floh ich vor dem volke ·
Mit heissen händen tastend nach der weite
Und sprach allein und rein mit stern und wolke
Von meinem ersten jugendlichen streite.

Die blumen hergeholt aus reichem leben
Umflocht ich frei und stolz an goldnen kreisen ·
Dem fern im licht geheiligten efeben
Verklang sein schmerz in feierlichen weisen.

Zu göttertalen · blinkenden mäandern ·
Ich liess in stätten innig hoher sitten
Und in den süden meine seele wandern
Wo sie gekrönt den martertod erlitten.

Und heut geschieht es nur aus Einem grunde
Wenn ich zum sang das lange schweigen breche:
Dass wir uns freuen auf die zwielichtstunde
Und meine düstre schwester also spreche:

Soll ich noch leben darf ich nicht vermissen
Den trank aus deinen klingenden pokalen
Und führer sind in meinen finsternissen
Die lichter die aus deinen wunden strahlen.

Des sehers wort ist wenigen gemeinsam:
Schon als die ersten kühnen wünsche kamen
In einem seltnen reiche ernst und einsam
Erfand er für die dinge eigne namen –

Die hier erdonnerten von ungeheuern
Befehlen oder lispelten wie bitten ·
Die wie Paktolen in rubinenfeuern
Und bald wie linde frühlingsbäche glitten ·

An deren kraft und klang er sich ergezte ·
Sie waren wenn er sich im höchsten schwunge
Der welt entfliehend unter träume sezte
Des tempels saitenspiel und heilge zunge.

Nur sie – und nicht der sanften lehre lallen ·
Das mütterliche – hat er sich erlesen
Als er im rausch von mai und nachtigallen
Sann über erster sehnsucht fabelwesen ·

Als er zum lenker seiner lebensfrühe
Im beten rief ob die verheissung löge . .
Erflehend dass aus zagen busens mühe
Das denkbild sich zur sonne heben möge.

Als ich zog ein vogel frei aus goldnem bauer
Ward der segen mir in reichem maasse ·
Frauen warfen von der mauer
Rosen auf die strasse.

Durch der länder wunder · marmor der paläste ·
Grauen in den heiligen gezelten
Zog ich fern vom schwarm der gäste
Und ich sang nur selten.

Jahre flossen · von den heimatlichen essen
Wirbelt rauch zum grauen wolkenraum.
Ich erhoffe nur vergessen
Ruh und blassen traum.

SPRÜCHE FÜR DIE GELADENEN IN T . .

I

Indes deine mutter dich stillt
Soll eine leidige fee
Von schatten singen und tod ·
Sie gibt dir als patengeschenk
Augen so trüb und sonder
In die sich die musen versenken.

Verächtlich wirst du blicken
Auf roher spiele gebaren ·
Vor arbeit die niedrig macht
Die grossen strengen gedanken
Dich mahnen und wahren.

Wenn deine brüder klagen
Und sagen: o schmerz! den deinen
Sag ihn den winden bei nacht
Und unter der nägel waffe
Blute die kindliche brust!

Vergiss es nicht: du musst
Deine frische jugend töten ·
Auf ihrem grab allein
Wenn viele tränen es begiessen – spriessen
Unter dem einzig wunderbaren grün
Die einzigen schönen rosen.

II

Ihr lernt: das haus des mangels nur kenne die Schwermut ·
– Nun seht im prunke der säulen die herbere schwermut –

Der stets nach dem ziel sich verzehre nur fühle das
schicksal ·
Ich zeige euch in der erfüllung das grausamste schicksal

Des der die stunden vertrauert bei köstlichem kleinod ·
Der schmächtigen fingers spielt mit dem sprühenden
kleinod

Und des der angetan mit der könige purpur
Das schwere bleiche antlitz senkt auf den purpur.

RÜCKKEHR

Ich fahre heim auf reichem kahne ·
Das ziel erwacht im abendrot ·
Vom maste weht die weisse fahne
Wir übereilen manches boot.

Die alten ufer und gebäude
Die alten glocken neu mir sind ·
Mit der verheissung neuer freude
Bereden mich die winde lind.

Da taucht aus grünen wogenkämmen
Ein wort · ein rosenes gesicht:
Du wohntest lang bei fremden stämmen ·
Doch unsre liebe starb dir nicht.

Du fuhrest aus im morgengrauen
Und als ob einen tag nur fern
Begrüssen dich die wellenfrauen
Die ufer und der erste stern.

ENTFÜHRUNG

Zieh mit mir geliebtes kind
In die wälder ferner kunde
Und behalt als angebind
Nur mein lied in deinem munde

Baden wir im sanften blau
Der mit duft umhüllten gränzen:
Werden unsre leiber glänzen
Klarer scheinen als der tau.

In der luft sich silbern fein
Fäden uns zu schleiern spinnen ·
Auf dem rasen bleichen linnen
Zart wie schnee und sternenschein.

Unter bäumen um den see
Schweben wir vereint uns freuend ·
Sachte singend · blumen streuend ·
Weisse nelken weissen klee.

Es lacht in dem steigenden jahr dir
Der duft aus dem garten noch leis.
Flicht in dem flatternden haar dir
Eppich und ehrenpreis.

Die wehende saat ist wie gold noch ·
Vielleicht nicht so hoch mehr und reich ·
Rosen begrüssen dich hold noch ·
Ward auch ihr glanz etwas bleich.

Verschweigen wir was uns verwehrt ist ·
Geloben wir glücklich zu sein
Wenn auch nicht mehr uns beschert ist
Als noch ein rundgang zu zwein.

Das lied das jener bettler dudelt
Ist wie mein lob das dich vergeblich lädt ·
Ist wie ein bach der fern vom quelle sprudelt
Und den dein mund zu einem trunk verschmäht.

Das lied das jene blinde leiert
Ist wie ein traum den ich nicht recht verstand ·
Ist wie mein blick der nur umschleiert
In deinen blicken nicht erwidrung fand.

Das lied das jene kinder trillern
Ist fühllos wie die worte die du gibst ·
Ist wie der übergang zu stillern
Gefühlen wie du sie allein noch liebst.

Drei weisen kennt vom dorf der blöde knabe
Die wenn er kommt sich ständig wiederholen:
Die eine wie der väter hauch vom grabe
Die eh sie starben sich dem herrn befohlen.

Die andre hat die tugendhafte weihe
Als ob sie schwestern die beim spinnrad sassen
Und mägde sängen die in langer reihe
Vor zeiten zogen auf den abendstrassen.

Die dritte droht – versündigung und rache –
Mit altem dolch in himmel-blauer scheide ·
Mit mancher sippe angestammtem leide ·
Mit bösen sternen über manchem dache.

Trauervolle nacht!
Schwarze sammetdecke dämpft
Schritte im gemach
Worin die liebe kämpft.

Den tod gab ihr dein wunsch ·
Nun siehst du bleich und stumm
Sie auf der bahre ruhn ·
Es stecken lichter drum.

Die lichter brennen ab ·
Du eilest blind hinaus
Nachdem die liebe starb –
Und weinen schallt im haus.

Ich weiss du trittst zu mir ins haus
Wie jemand der an leid gewöhnt
Nicht froh ist wo zu spiel und schmaus
Die saite zwischen säulen dröhnt.

Hier schreitet man nicht laut nicht oft ·
Durchs fenster dringt der herbstgeruch
Hier wird ein trost dem der nicht hofft
Und bangem frager milder spruch.

Beim eintritt leis ein händedruck ·
Beim weiterzug vom stillen heim
Ein kuss – und ein bescheidner schmuck
Als gastgeschenk: ein zarter reim.

Ihr tratet zu dem herde
Wo alle glut verstarb ·
Licht war nur an der erde
Vom monde leichenfarb ·

Ihr tauchtet in die aschen
Die bleichen Finger ein
Mit suchen tasten haschen –
Wird es noch einmal schein!

Seht was mit trostgebärde
Der mond euch rät:
Tretet weg vom herde ·
Es ist worden spät.

Es winkte der abendhauch
Mit dem geneigten glücke ·
Nimm und bewahr es auch
Eh dir ein andrer es pflücke.

Doch wie in fesseln geschnürt
Jammert die seele erblassend
Die glückes nähe spürt
Es schauend und doch es nicht fassend.

Da brachte der abendhauch
Ihr die erlösende kunde:
Meine trübste stunde
Nun kennest du sie auch.

DER TEPPICH DES LEBENS
UND DIE LIEDER
VON TRAUM UND TOD
MIT EINEM VORSPIEL

VORSPIEL

I

Ich forschte bleichen eifers nach dem horte
Nach strofen drinnen tiefste kümmerniss
Und dinge rollten dumpf und ungewiss –
Da trat ein nackter engel durch die pforte:

Entgegen trug er dem versenkten sinn
Der reichsten blumen last und nicht geringer
Als mandelblüten waren seine finger
Und rosen rosen waren um sein kinn.

Auf seinem haupte keine krone ragte
Und seine stimme fast der meinen glich:
Das schöne leben sendet mich an dich
Als boten: während er dies lächelnd sagte

Entfielen ihm die lilien und mimosen –
Und als ich sie zu heben mich gebückt
Da kniet auch ER · ich badete beglückt
Mein ganzes antlitz in den frischen rosen.

II

Gib mir den grossen feierlichen hauch
Gib jene glut mir wieder die verjünge
Mit denen einst der kindheit flügelschwünge
Sich hoben zu dem frühsten opferrauch.

Ich mag nicht atmen als in deinem duft.
Verschliess mich ganz in deinem heiligtume!
Von deinem reichen tisch nur eine krume!
So fleh ich heut aus meiner dunklen kluft.

Und ER: was jezt mein ohr so stürmisch trifft
Sind wünsche die sich unentwirrbar streiten.
Gewährung eurer vielen kostbarkeiten
Ist nicht mein amt · und meine ehrengift

Wird nicht im zwang errungen · dies erkenn!
Ich aber bog den arm an seinen knieen
Und aller wachen sehnsucht stimmen schrieen:
Ich lasse nicht · du segnetest mich denn.

V

Du wirst nicht mehr die lauten fahrten preisen
Wo falsche flut gefährlich dich umstürmt
Und wo der abgrund schroffe felsen türmt
Um deren spitzen himmels adler kreisen.

In diesen einfachen gefilden lern
Den hauch der den zu kühlen frühling lindert
Und den begreifen der die schwüle mindert
Und ihrem kindesstammeln horche gern!

Du findest das geheimnis ewiger runen
In dieser halden strenger linienkunst
Nicht nur in mauermeeres zauberdunst.
›Schon lockt nicht mehr das Wunder der lagunen

Das allumworbene trümmergrosse Rom
Wie herber eichen duft und rebenblüten
Wie sie die Deines volkes hort behüten –
Wie Deine wogen – lebengrüner Strom!‹

VII

Ich bin freund und führer dir und ferge.
Nicht mehr mitzustreiten ziemt dir nun
Auch nicht mit den weisen · hoch vom berge
Sollst du schaun wie sie im tale tun.

Weite menge siehst du rüstig traben
Laut ist ihr sich mühendes gewimmel:
Forscht die dinge nützet ihre gaben
Und ihr habt die welt als freudenhimmel.

Drüben schwärme folgen ernst im qualme
Einem bleichen mann auf weissem pferde
Mit verhaltnen gluten in dem psalme:
Kreuz du bleibst noch lang das licht der erde.

Eine kleine schar zieht stille bahnen
Stolz entfernt vom wirkenden getriebe
Und als losung steht auf ihren fahnen:
Hellas ewig unsre liebe.

VIII

Du sprichst mir nie von sünde oder sitte.
›Ihr meine schüler · sprossen von geblüt ·
Erkennt und kürt das edle unbemüht . .
Auch heimlich bin ich richte eurer tritte.

So lieb ich dich: wie früher lehren spruch
Als märchen ehrend du in mittaglicher
Umgebung vor dich hinschaust · weges-sicher
Nicht weisst von scham von reue oder fluch.

Du wohntest viel in enger wahlgemeinde
Im lieben ohne maass und ohne lass
Vorm schicksal wenig klage wenig hass
Doch lange rache nährend wider feinde.

Und bei den taten denen weder lohn
Noch busse – die du strahlend rühmst vor freien
Und die nach volkes wahn zum himmel schreien
Da zuckte ich nur lächelnd: sohn! o sohn!‹

XVII

Er darf nun reden wie herab vom äther
Der neue lichter zündete im nachten
Erlösung fand aus dumpfen lebens schmachten
Der lang verborgen als ein sichrer täter

Die welken erden hob durch neue glänze
Und seinen brüdern durch sein amt bedeutet
Wo sie vor allen wahren ruhm erbeutet
Und das geheimnis lehrte neuer tänze.

Ihm wird die ehre drum wie keinen thronen
Dem sich in froher huldigung ergaben
Die seherfrauen und die edlen knaben
– Die herrscher denen künftig völker frohnen.

So steigt allein den göttern opferbrodem
Wie ihm der heiligen jugend lobesstimme
Die über seine stufen höher klimme
In ihrem odem viel von seinem odem.

XXIII

Wir sind dieselben kinder die erstaunt
Vor deinem herrschertritt doch nicht verzagt
Uns sammeln wenn ein waffenknecht posaunt
Dass in dem freien feld dein banner ragt.

Wir ziehn zur seite unsres strengen herrn
Der sichtend zwischen seine streiter schaut
Kein weinen zieht uns ab von unsrem stern
Kein arm des freundes und kein kuss der braut.

In seinen blicken lesen wir erfreut
Was uns erkannt ist im erhellten traum
Ob ehre oder dunklen zug gebeut
Sein abgeneigter sein erhobner daum.

Was uns entzückt verherrlicht und befreit
Empfangen wir aus seiner hand zum lehn
Und winkt er: sind wir stark und stolz bereit
Für seinen ruhm in nacht und tod zu gehn.

XXIV

Uns die durch viele jahre zum triumfe
Des grossen lebens unsre lieder schufen
Ist es gebühr mit würde auch die dumpfe
Erinnrung an das dunkel vorzurufen:

Das haupt gebettet folgte noch in stummer
Ergebung alten ehren siegen straussen . .
Blumen der frühen heimat nickten draussen
Und luden schaukelnd ein zum langen schlummer.

Und jenes lezte schöne bild ist sachte
Zurückgesunken in der winde singen.
Kein freund war nahe mehr · sie alle gingen
Nur ER der niemals wankte blieb und wachte.

Mit der betäubung wein aus seinem sprengel
Die dichten schatten der bedrängnis hindernd
Des endes schwere scheideblicke lindernd
So stand am lager fest und hoch: der engel.

DER TEPPICH

Hier schlingen menschen mit gewächsen tieren
Sich fremd zum bund umrahmt von seidner franze
Und blaue sicheln weisse sterne zieren
Und queren sie in dem erstarrten tanze.

Und kahle linien ziehn in reich-gestickten
Und teil um teil ist wirr und gegenwendig
Und keiner ahnt das rätsel der verstrickten . .
Da eines abends wird das werk lebendig.

Da regen schauernd sich die toten äste
Die wesen eng von strich und kreis umspannet
Und treten klar vor die geknüpften quäste
Die lösung bringend über die ihr sannetl

Sie ist nach willen nicht: ist nicht für jede
Gewohne stunde: ist kein schatz der gilde.
Sie wird den vielen nie und nie durch rede
Sie wird den seltnen selten im gebilde.

DER TÄTER

Ich lasse mich hin vorm vergessenen fenster: nun tu
Die flügel wie immer mir auf und hülle hienieden
Du stets mir ersehnte du segnende dämmrung mich zu
Heut will ich noch ganz mich ergeben dem lindernden
frieden.

Denn morgen beim schrägen der strahlen ist es geschehn
Was unentrinnbar in hemmenden stunden mich peinigt
Dann werden verfolger als schatten hinter mir stehn
Und suchen wird mich die wahllose menge die steinigt.

Wer niemals am bruder den fleck für den dolchstoss
bemass
Wie leicht ist sein leben und wie dünn das gedachte
Dem der von des schierlings betäubenden körnern nicht
ass!
O wüsstet ihr wie ich euch alle ein wenig verachte!

Denn auch ihr freunde redet morgen: so schwand
Ein ganzes leben voll hoffnung und ehre hienieden . .
Wie wiegt mich heute so mild das entschlummernde land
Wie fühl ich sanft um mich des abends frieden!

SCHMERZBRÜDER

So zieht ihr im düster und euer geleit
Ist lächelnder strahl – ihr die sinkende zeit.
Da alles gesagt ist in stummem verein
Ihr fühlet gefasst die unwendbare pein:

Wer ganz sich verschenkt wie er wenig empfängt
Und blühende stirn in die fernen nur drängt.
So zieht ihr im düster und euer geleit
Ist lächelnder strahl – ihr die sinkende zeit.

Und manchmal noch wenn euch ein milderer ton
Ein engeres schmiegen wie rührung und lohn
Und wenn euch ein deutendes schweigen umfliesst
Erscheint es dass leis eine hoffnung euch spriesst:

Mit zitternden armen am busen gepresst
So haltet den ziehenden abend ihr fest
Ob er für die einzige stunde nun säumt . .
Doch euer geleit hat vom morgen geträumt.

ROM-FAHRER

Freut euch dass nie euch fremdes land geworden
Der weihe land der väter paradies
Das sie erlöst vom nebeltraum im norden
Das oft ihr sang mehr als die heimat pries.

Dort gaukelt vor euch ein erhabnes ziel
Durch duft und rausch in marmor und paneelen
Dort lasset ihr vom besten blute viel
Und ewig fesselt eure trunknen seelen

Wenn auch verderbenvoll der schöne buhle . .
Wie einst die ahnen denen dürftig schien
Die kalte treue vor dem fürstenstuhle:
Wunder der Welt! und sänger Konradin!

Durch euer sehnen nehmt ihr ewig teil
An froher flucht der silbernen galeeren
Und selig zitternd werfet ihr das seil
Vor königshallen an den azur-meeren.

WAHRZEICHEN

So ist bei euch das los: nach kurzen fristen
Der stolzen blüte hausen lichtverächter
Mit rohem schwärmen und die vipern nisten.
Nur heimlich sind dem zarten keime wächter.

Dann sucht der frühen bildner herbe wonnen
Und holt euch rates wie sich mut gewinne
Vorm keuschen zauber heimischer madonnen
Und eurer ganzen schönheit höchster zinne

Holbein dem einzigen . . im rauhen sturme
Beschüzt die glorienschar vom Rhein und Maine . .
Und dorrt das land vom unfruchtbaren wurme:
Das heiligtum steht unberührt im haine.

Bescheidet euch mit alten leidensregeln!
Der glanz der war bringt wenn auch späte spende
Die geister kehren stets mit vollen segeln
Zurück ins land des traums und der legende.

JEAN PAUL

Wenn uns Stets-wandrern und die heimat schmälend
Zu ihr die liebe schönerer nachbar würgt
So rufst du uns zurück – verlockend quälend
Du voll vom drange der den Gott verbürgt.

In dir nur sind wir ganz: so wirkt kein weiser
Der grauen gaue zwischen meer und kolk . .
Du sehnenvoll des heitren südens preiser –
Wie unser breites etwas schlaffes volk

In trübem dämmer bergend stahl und zunder
Draus gluten fahren grell und schillernd mild
Du bist der führer in dem wald der wunder
Und herr und kind in unsrem saatgefild.

Du regst den matten geist mit sternenflören
Dann bettest du den wahn auf weichem pfühl . .
Goldharfe in erhabnen himmels-chören
Flöte von Maiental und Blumenbühl!

BLAUE STUNDE

AN REINHOLD UND SABINE LEPSIUS

Sieh diese blaue stunde
Entschweben hinterm gartenzelt!
 Sie brachte frohe funde
Für bleiche schwestern ein entgelt.

 Erregt und gross und heiter
So eilt sie mit den wolken – sieh!
 Ein opfer loher scheiter.
Sie sagt verglüht was sie verlieh.

 Dass sie so schnell nicht zögen
So sinnen wir · nur ihr geweiht –
 Spannt auch schon seine bögen
Ein dunkel reicher lustbarkeit.

 Wie eine tiefe weise
Die uns gejubelt und gestöhnt
 In neuem paradeise
Noch lockt und rührt wenn schon vertönt.

JULI-SCHWERMUT
AN ERNEST DOWSON

Blumen des sommers duftet ihr noch so reich:
  Ackerwinde im herben saatgeruch
Du ziehst mich nach am dorrenden geländer
Mir ward der stolzen gärten sesam fremd.

  Aus dem vergessen lockst du träume: das kind
  Auf keuscher scholle rastend des ährengefilds
In ernte-gluten neben nackten schnittern
Bei blanker sichel und versiegtem krug.

  Schläfrig schaukelten wespen im mittagslied
  Und ihm träufelten auf die gerötete stirn
Durch schwachen schutz der halme-schatten
Des mohnes blätter: breite tropfen blut.

  Nichts was mir je war raubt die vergänglichkeit.
  Schmachtend wie damals lieg ich in schmachtender flur
Aus mattem munde murmelt es: wie bin ich
Der blumen müd · der schönen blumen müd!

MORGENSCHAUER

Lässt solch ein schmerz sich nieten
Und solch ein hauch und solch ein licht?
  Der morgen sich gebieten
Der fremd und selig in uns bricht?

  Wie durch die seele zogen
Die pfade – dann durch das gefild.
  Gelinde düfte sogen
Dann gossen sie sich schnell und wild.

  Trüb wie durch tränen schwimmen
Der baum · das haus das uns empfängt.
  Ein weisses festtag-glimmen
Der kirschenzweig der überhängt

  Ein rauschendes geflitter
Entzückt und quält – macht schwer und frei.
  Ein schwanken süss und bitter
Ein singen sonder melodei . .

FLUTUNGEN

Erst ging sie voll und litt an zu viel licht.
Der gaben schatz den huldigung ihr bot
Erwog sie kaum und misste oft das glück
Im starren stolz der jugend die nicht spricht.

Sie wuchs sie zog hinaus und sie umwarb
Was nun entrann · sie sah mit heissem wunsch
Den lebenden die sie nicht liebten nach
Den toten all von ihr noch ungeliebt.

Da stand sie einst mit ihrem schmerz · der schien
Ihr leicht und leer · sie blickte prüfend um
Und fröstelte · so sagt dem blinden kind
Die kühle an dass schon der abend kam.

Nun reisst und rinnt von neuem früheres weh
Ihr ist wie sonst dass jede fiber fühlt . .
Dass vieles ging · nur gleich im wechsel blieb
Was sie ergreift was sie noch immer sucht.

TAG-GESANG

I

So begannst du mein tag:
Von verheissungen voll
Aus dem kindlichen tale
Ein jauchzen erscholl.

Du ergingst dich in strahlen
Bekränzt und erlaucht
Hast dein schimmerndes haar
Dann in blüten getaucht.

In umschwärmendem chor
Und in zitternder jagd
Nach den wiesen die woge
Nach silber smaragd

So folgen dir froh
Die dein lächeln erkürt . .
O mein tag mir so gross
Und so schnell mir entführt!

II

Bewältigt vom rausche noch
   sah ich ihm nach
Er wandte sich dem der ihn
   liebend besprach.

Mein lob sich auf fittichen
   hin zu ihm schwang
Bis ganz ihn im westen
   die wolke umschlang.

Um wen soll ich werben mit
   minderem hall
Da nichts wie Er gross ist und
   nichts wie Er all!

So schritt ich vertrauert und
   horchte mit fleiss
Zu schluchten gebeugt auf ihr
   dunkles geheiss.

III

An dem wasser das uns fern klagt
Wo die pappel sich lind wiegt
Sizt ein vogel der uns gern fragt
Der im laube sich dem wind schmiegt.

Und der vogel spielt leis auf:
Flur und garten sind vom blühn tot
Jedes weiss sich schön im kreislauf . .
Sieh die gipfel vor dir glühn rot!

Nur erinnrung lässt als traumsold
Der zu glücklichern seinen zug lenkt
Seiner hand entrieselt traumgold
Das er früh und nur im flug schenkt.

Heb das haupt das sich bang neigt
Ob aus tiefen ein gesicht winkt –
Und so warte bis mein sang schweigt
Und so bleibe bis das licht sinkt.

TRAUM UND TOD

Glanz und ruhm! so erwacht unsre welt
Heldengleich bannen wir berg und belt
Jung und gross schaut der geist ohne vogt
Auf die flur auf die flut die umwogt.

Da am weg bricht ein schein fliegt ein bild
Und der rausch mit der qual schüttelt wild.
Der gebot weint und sinnt beugt sich gern
›Du mir heil du mir ruhm du mir stern‹

Dann der traum höchster stolz steigt empor
Er bezwingt kühn den Gott der ihn kor . .
Bis ein ruf weit hinab uns verstösst
Uns so klein vor dem tod so entblösst!

All dies stürmt reisst und schlägt blizt und brennt
Eh für uns spät am nacht-firmament
Sich vereint schimmernd still licht-kleinod:
Glanz und ruhm rausch und qual traum und tod.

DER SIEBENTE RING

DAS ZEITGEDICHT

Ihr meiner zeit genossen kanntet schon
Bemasset schon und schaltet mich – ihr fehltet.
Als ihr in lärm und wüster gier des lebens
Mit plumpem tritt und rohem finger ranntet:
Da galt ich für den salbentrunknen prinzen
Der sanft geschaukelt seine takte zählte
In schlanker anmut oder kühler würde ·
In blasser erdenferner festlichkeit.

Von einer ganzen jugend rauhen werken
Ihr rietet nichts von qualen durch den sturm
Nach höchstem first · von fährlich blutigen träumen.
›Im bund noch diesen freund!‹ und nicht nur lechzend
Nach tat war der empörer eingedrungen
Mit dolch und fackel in des feindes haus . .
Ihr kundige las't kein schauern · las't kein lächeln ·
Wart blind für was in dünnem schleier schlief.

Der pfeifer zog euch dann zum wunderberge
Mit schmeichelnden verliebten tönen · wies euch
So fremde schätze dass euch allgemach
Die welt verdross die unlängst man noch pries.
Nun da schon einige arkadisch säuseln
Und schmächtig prunken: greift er die fanfare ·
Verlezt das morsche fleisch mit seinen sporen
Und schmetternd führt er wieder ins gedräng.

Da greise dies als mannheit schielend loben
Erseufzt ihr: solche hoheit stieg herab!
Gesang verklärter wolken ward zum schrei! . .
Ihr sehet wechsel · doch ich tat das gleiche.
Und der heut eifernde posaune bläst
Und flüssig feuer schleudert weiss dass morgen
Leicht alle schönheit kraft und grösse steigt
Aus eines knaben stillem flötenlied.

DANTE UND DAS ZEITGEDICHT

Als ich am torgang zitternd niedersank
Beim anblick der Holdseligsten · von gluten
Verzehrt die bittren nächte sann · der freund
Mitleidig nach mir sah · ich nur noch hauchte
Durch ihre huld und durch mein lied an sie:
War ich den menschen spott die nie erschüttert
Dass wir so planen minnen klagen – wir
Vergängliche als ob wir immer blieben.

Ich wuchs zum mann und mich ergriff die schmach
Von stadt und reich verheert durch falsche führer ...
Wo mir das heil erschien kam ich zu hilfe
Mit geist und gut und focht mit den verderbern.
Zum lohn ward ich beraubt verfehmt und irre
Ein bettler jahrelang an fremde türen
Aufs machtgebot von tollen – sie gar bald
Nur namenloser staub indess ich lebe.

Als dann mein trüber vielverschlagner lauf ·
Mein schmerz ob unsrer selbstgenährten qualen ·
Mein zorn auf lasse niedre und verruchte
In form von erz gerann: da horchten viele
Sobald ihr grauen schwand dem wilden schall
Und ob auch keiner glut und klaue fühlte
Durchs eigne herz: es schwoll von Etsch bis Tiber
Der ruhm zum sitz des fried- und heimatlosen.

Doch als ich drauf der welt entfloh · die auen
Der Seligen sah · den chor der engel hörte
Und solches gab: da zieh man meine harfe
Geschwächten knab- und greisentons . . o toren!
Ich nahm aus meinem herd ein scheit und blies –
So ward die hölle · doch des vollen feuers
Bedurft ich zur bestrahlung höchster liebe
Und zur verkündigung von sonn und stern.

GOETHE-TAG

Wir brachen mit dem zarten frührot auf
Am sommerend durch rauchendes gefild
Zu Seiner stadt. Noch standen plumpe mauer
Und würdelos gerüst von menschen frei
Und tag – unirdisch rein und fast erhaben.
Wir kamen vor sein stilles haus · wir sandten
Der ehrfurcht blick hinauf und schieden. Heute
Da alles rufen will schweigt unser gruss.

Noch wenig stunden: der geweihte raum
Erknirscht: sie die betasten um zu glauben . .
Die grellen farben flackern in den gassen ·
Die festesmenge tummelt sich die gern
Sich schmückt den Grossen schmückend und ihn fragt
Wie er als schild für jede sippe diene –
Die auf der stimmen lauteste nur horcht ·
Nicht höhen kennt die seelen-höhen sind.

Was wisst ihr von dem reichen traum und sange
Die ihr bestaunet! schon im kinde leiden
Das an dem wall geht · sich zum brunnen bückt ·
Im jüngling qual und unrast · qual im manne
Und wehmut die er hinter lächeln barg.
Wenn er als ein noch schönerer im leben
Jezt käme – wer dann ehrte ihn? er ginge
Ein könig ungekannt an euch vorbei.

Ihr nennt ihn euer und ihr dankt und jauchzt –
Ihr freilich voll von allen seinen trieben
Nur in den untren lagen wie des tiers –
Und heute bellt allein des volkes räude ...
Doch ahnt ihr nicht dass er der staub geworden
Seit solcher frist noch viel für euch verschliesst
Und dass an ihm dem strahlenden schon viel
Verblichen ist was ihr noch ewig nennt.

NIETZSCHE

Schwergelbe wolken ziehen überm hügel
Und kühle stürme – halb des herbstes boten
Halb frühen frühlings . . . Also diese mauer
Umschloss den Donnerer – ihn der einzig war
Von tausenden aus rauch und staub um ihn?
Hier sandte er auf flaches mittelland
Und tote stadt die lezten stumpfen blitze
Und ging aus langer nacht zur längsten nacht.

Blöd trabt die menge drunten · scheucht sie nicht!
Was wäre stich der qualle · schnitt dem kraut!
Noch eine weile walte fromme stille
Und das getier das ihn mit lob befleckt
Und sich im moderdunste weiter mästet
Der ihn erwürgen half sei erst verendet!
Dann aber stehst du strahlend vor den zeiten
Wie andre führer mit der blutigen krone.

Erlöser du! selbst der unseligste –
Beladen mit der wucht von welchen losen
Hast du der sehnsucht land nie lächeln sehn?
Erschufst du götter nur um sie zu stürzen
Nie einer rast und eines baues froh?
Du hast das nächste in dir selbst getötet
Um neu begehrend dann ihm nachzuzittern
Und aufzuschrein im schmerz der einsamkeit.

Der kam zu spät der flehend zu dir sagte:
Dort ist kein weg mehr über eisige felsen
Und horste grauser vögel – nun ist not:
Sich bannen in den kreis den liebe schliesst . .
Und wenn die strenge und gequälte stimme
Dann wie ein loblied tönt in blaue nacht
Und helle flut – so klagt: sie hätte singen
Nicht reden sollen diese neue seele!

PORTA NIGRA

INGENIO ALF: SCOLARI

Dass ich zu eurer zeit erwachen musste
Der ich die pracht der Treverstadt gekannt
Da sie den ruhm der schwester Roma teilte ·
Da auge glühend gross die züge traf
Der klirrenden legionen · in der rennbahn
Die blonden Franken die mit löwen stritten ·
Die tuben vor palästen und den Gott
Augustus purpurn auf dem goldnen wagen!

Hier zog die Mosel zwischen heitren villen . .
O welch ein taumel klang beim fest des weines!
Die mädchen trugen urnen lebenschwellend –
Kaum kenn ich diese trümmer · an den resten
Der kaiserlichen mauern leckt der nebel ·
Entweiht in särgen liegen heilige bilder ·
Daneben hingewühlt barbarenhöhlen . .
Nur aufrecht steht noch mein geliebtes tor!

Im schwarzen flor der zeiten doch voll stolz
Wirft es aus hundert fenstern die verachtung
Auf eure schlechten hütten (reisst es ein
Was euch so dauernd höhnt!) auf eure menschen:
Die fürsten priester knechte gleicher art
Gedunsne larven mit erloschnen blicken
Und frauen die ein sklav zu feil befände –
Was gelten alle dinge die ihr rühmet:

Das edelste ging euch verloren: blut . .
Wir schatten atmen kräftiger! lebendige
Gespenster! lacht der knabe Manlius . .
Er möchte über euch kein zepter schwingen
Der sich des niedrigsten erwerbs beflissen
Den ihr zu nennen scheut – ich ging gesalbt
Mit perserdüften um dies nächtige tor
Und gab mich preis den söldnern der Cäsaren!

FRANKEN

Es war am schlimmsten kreuzweg meiner fahrt:
Dort aus dem abgrund züngelnd giftige flammen ·
Hier die gemiednen gaue wo der ekel
Mir schwoll vor allem was man pries und übte ·
Ich ihrer und sie meiner götter lachten.
Wo ist dein dichter · arm und prahlend volk?
Nicht einer ist hier: Dieser lebt verwiesen
Und Jenem weht schon frost ums wirre haupt.

Da lud von Westen märchenruf . . so klang
Das lob des ahnen seiner ewig jungen
Grossmütigen erde deren ruhm ihn glühen
Und not auch fern ihn weinen liess · der mutter
Der fremden unerkannten und verjagten . .
Ein rauschen bot dem erben gruss als lockend
In freundlichkeit und fülle sich die ebnen
Der Maas und Marne unterm frühlicht dehnten.

Und in der heitren anmut stadt · der gärten
Wehmütigem reiz · bei nachtbestrahlten türmen
Verzauberten gewölbs umgab mich jugend
Im taumel aller dinge die mir teuer –
Da schirmten held und sänger das Geheimnis:
VILLIERS sich hoch genug für einen thron ·
VERLAINE in fall und busse fromm und kindlich
Und für sein denkbild blutend: MALLARMÉ.

Mag traum und ferne uns als speise stärken –
Luft die wir atmen bringt nur der Lebendige.
So dank ich freunde euch die dort noch singen
Und väter die ich seit zur gruft geleitet . . .
Wie oft noch spät da ich schon grund gewonnen
In trüber heimat streitend und des sieges
Noch ungewiss · lieh neue kraft dies flüstern:
RETURNENT FRANC EN FRANCE DULCE TERRE.

DIE TOTE STADT

Die weite bucht erfüllt der neue hafen
Der alles glück des landes saugt · ein mond
Von glitzernden und rauhen häuserwänden ·
Endlosen strassen drin mit gleicher gier
Die menge tages feilscht und abends tollt.
Nur hohn und mitleid steigt zur mutterstadt
Am felsen droben die mit schwarzen mauern
Verarmt daliegt · vergessen von der zeit.

Die stille veste lebt und träumt und sieht
Wie stark ihr turm in ewige sonnen ragt ·
Das schweigen ihre weihebilder schüzt
Und auf den grasigen gassen ihren wohnern
Die glieder blühen durch verschlissnes tuch.
Sie spürt kein leid · sie weiss der tag bricht an:
Da schleppt sich aus den üppigen palästen
Den berg hinan von flehenden ein zug:

›Uns mäht ein ödes weh und wir verderben
Wenn ihr nicht helft – im überflusse siech.
Vergönnt uns reinen odem eurer höhe
Und klaren quell! wir finden rast in hof
Und stall und jeder höhlung eines tors.
Hier schätze wie ihr nie sie saht – die steine
Wie fracht von hundert schiffen kostbar · spange
Und reif vom werte ganzer länderbreiten!‹

Doch strenge antwort kommt: ›Hier frommt kein kauf.
Das gut was euch vor allem galt ist schutt.
Nur sieben sind gerettet die einst kamen
Und denen unsre kinder zugelächelt.
Euch all trifft tod. Schon eure zahl ist frevel.
Geht mit dem falschen prunk der unsren knaben
Zum ekel wird! Seht wie ihr nackter fuss
Ihn übers riff hinab zum meere stösst.‹

DAS ZEITGEDICHT

Ich euch gewissen · ich euch stimme dringe
Durch euren unmut der verwirft und flucht:
›Nur niedre herrschen noch · die edlen starben:
Verschwemmt ist glaube und verdorrt ist liebe.
Wie flüchten wir aus dem verwesten ball?‹
Lasst euch die fackel halten wo verderben
Der zeit uns zehrt · wo ihr es schafft durch eigne
Erhizte sinne und zersplissnes herz.

Ihr wandet so das haupt bis ihr die Schönen
Die Grossen nicht mehr saht – um sie zu leugnen
Und stürztet ihre alt- und neuen bilder.
Ihr hobet über Körper weg und Boden
Aus rauch und staub und dunst den bau · schon wuchsen
In riesenformen mauern bogen türme –
Doch das gewölk das höher schwebte ahnte
Die stunde lang voraus wo er verfiel.

Dann krochet ihr in höhlen ein und riefet:
›Es ist kein tag. Nur wer den leib aus sich
Ertötet hat der lösung lohn: die dauer.‹
So schmolzen ehmals blass und fiebernd sucher
Des golds ihr erz mit wässern in dem tiegel
Und draussen gingen viele sonnenwege . .
Da ihr aus gift und kot die seele kochtet
Verspriztet ihr der guten säfte rest.

Ich sah die nun jahrtausendalten augen
Der könige aus stein von unsren träumen
Von unsren tränen schwer . . sie wie wir wussten:
Mit wüsten wechseln gärten · frost mit glut ·
Nacht kommt für helle – busse für das glück.
Und schlingt das dunkel uns und unsre trauer:
Eins das von je war (keiner kennt es) währet
Und blum und jugend lacht und sang erklingt.

DER KAMPF

Trunken von sonne und blut
Stürm ich aus felsigem haus ·
Laur ich in duftender flur
Auf den schönlockigen gott
Der mit dem tanzenden schritt
Der mit dem singenden mund
In meiner gruft mich verhöhnt.

Heute kenn er die wut
Die sich aus tiefen gebiert!
Meine umklammernde faust
Würgt seinen rosigen leib.
Sieh wie er schreitet · ein kind!
Weg mit der keule – ein griff
Senkt den gehassten zu grund.

Wahre dich! ... Weh mir · wie trifft
Aus seinem auge mich licht!
Drunten im höhlengefecht
Dunkel rauchender glut
War ich sieger der schar ...
Halte Feiger den blitz ·
Zeig mit dem arm deinen mut!

Weh! sie kämpfen mit licht.
Den er fasset der fällt.
Stampfend sezt er den fuss
Auf meine keuchende brust.
Lächelnd singt er sein lied ...
Trunken von sonne und blut
Sink ich in ruhmlosen tod.

KÖNIG UND HARFNER

HARFNER:

Wie vor das antlitz du den mantel zogst
Gewahrt ich dass du eine träne bargest
Und einen · Herr · mir nicht gewognen wink.
Wenn du auch heut zu deinem knecht nicht redest:
Um ihn kannst du nicht zürnen den du hiessest
Mit seinem sang nicht mehr von dir zu weichen . . .
So murrte wieder undankbares volk?
Bedrohn die stolzen priester dich? Nun weiss ichs:
Den sieg missgönnt der eifersüchtige gott.

KÖNIG:

Da du in meiner schande mich belauert –
So hör was dir nicht frommt: mehr als die feinde
Die du genannt und die ich all bestehe
Vernichtet mich der lieben will: du selbst.
Nun trag auch du dein teil das keiner ändert:
Den ich nicht missen mag und den ich hasse
Und der nicht weiss wie er mit gift mich füllt.
Mein schwert mein schild · von fürchterlichem saft
Noch klebrig · klopfst du an dass es dir klirre.
Ins wasser wirfst du dass es tanzt und ringelt
Geschoss wie ich es zum verhängnis wähle.
Die früchte meiner felder – siedend mühsal
Der langen sommer – gehst du achtlos schütteln
Und kühlst mit einer dir den satten mund.
Dir dienen fieberqualen meiner nächte
Um sie in ton und lispeln zu verwehn.
Mein heilig sinnen drob ich mich verzehre
Zerschellst du in der luft zu bunten blasen

Und schmilzest mein erhabnes königsleid
In eitlen klang durch dein verworfen spiel.

SONNWENDZUG

Schwüle drückt auf uns im saal von lichtern
　　Und von rauchenden becken ·
Elfenbeinern starren unsre leiber –
　　In die gluten und schatten
Langen feiertags getaucht · in zierden
　　Die aus hangenden bögen
Wand und boden triefen · aus den flöten
　　Und balsamischem wein.
Da durchsprengt ein nachtwind alle fenster ·
　　Unsre fackeln verlöschen ·
Süsse schauder recken uns die haare ·
　　Wir verlassen die becher ·
Schleppen über estrich hin und strasse
　　Die zerrissenen kränze ·
Brechen durch das stadttor in die dörfer
　　Unter klingendem tanze ·
Sehn die flur im brünstigen morgen rege
　　Von den scharen der mähder
Hirten pflanzer – stürzen nackt entgegen
　　Ihren strotzenden kräften ·
Haften unsren hellen blick des traumes
　　In die nährenden blicke
Scheuen tiers die staunen und nur langsam
　　An der glut sich entzünden.
Blanke glieder hängen sich und schlingen
　　Um die sehnigen braunen
Fest wie ranken um die mutterbäume ·
　　Das gedränge verwirbelt
Nass von scholle und gestampftem grase
　　Mit dem staub der gesäme.

Ruf von lust und grausen hallt im haine
    Vom beginnenden jagen ·
Zitternd tasten hände noch nach locken
    Da verdurstet schon manche
Heiss von fang und flucht · besprizt vom safte
    Ausgequollener früchte ·
Blut und speichel harter lippen trinken
    Und auf qualmigen garben
Andre wechselnd beide blumen küssen
    Auf der brust den Gewählten.

TEMPLER

Wir eins mit allen nur in goldnem laufe –
Undenkbar lang schied unsre schar der haufe ·
Wir Rose: innre jugendliche brunst
Wir Kreuz: der stolz ertragnen leiden kunst.

Auf unbenamter bahn in karger stille
Drehn wir den speer und drehn die dunkle spille.
In feiger zeit schreckt unsrer waffen loh'n ·
Wir geisseln volk und schlagen lärm am tron.

Wir folgen nicht den sitten und den spielen
Der andren die voll argwohn nach uns schielen
Und grauen wenn ihr hass nicht übermannt
Was unser wilder sturm der liebe bannt.

Was uns als beute fiel von schwert und schleuder
Rinnt achtlos aus den händen der vergeuder
Und deren wut verheerend urteil spie
Vor einem kinde sinken sie ins knie.

Der augen sprühen und die freie locke
Die einst den herrn verriet im bettelrocke
Verschleiern wir dem dreisten schwarm verschämt
Der unsre schatten erst mit glanz verbrämt.

Wie wir gediehn im schoosse fremder amme:
Ist unser nachwuchs nie aus unsrem stamme –
Nie alternd nie entkräftet nie versprengt
Da ungeborne glut in ihm sich mengt.

Und jede eherne tat und nötige wende:
Nur unser-einer ist der sie vollende –
Zu der man uns in arger wirrsal ruft
Und dann uns steinigt: fluch dem was ihr schuf't!

Und wenn die grosse Nährerin im zorne
Nicht mehr sich mischend neigt am untern borne ·
In einer weltnacht starr und müde pocht:
So kann nur einer der sie stets befocht

Und zwang und nie verfuhr nach ihrem rechte
Die hand ihr pressen · packen ihre flechte ·
Dass sie ihr werk willfährig wieder treibt:
Den leib vergottet und den gott verleibt.

DER WIDERCHRIST

›Dort kommt er vom berge · dort steht er im hain!
Wir sahen es selber · er wandelt in wein
Das wasser und spricht mit den toten.‹

O könntet ihr hören mein lachen bei nacht:
Nun schlug meine stunde · nun füllt sich das garn ·
Nun strömen die fische zum hamen.

Die weisen die toren – toll wälzt sich das volk ·
Entwurzelt die bäume · zerklittert das korn ·
Macht bahn für den zug des Erstandnen.

Kein werk ist des himmels das ich euch nicht tu.
Ein haarbreit nur fehlt und ihr merkt nicht den trug
Mit euren geschlagenen sinnen.

Ich schaff euch für alles was selten und schwer
Das Leichte · ein ding das wie gold ist aus lehm ·
Wie duft ist und saft ist und würze –

Und was sich der grosse profet nicht getraut:
Die kunst ohne roden und säen und baun
Zu saugen gespeicherte kräfte.

Der Fürst des Geziefers verbreitet sein reich ·
Kein schatz der ihm mangelt · kein glück das ihm weicht . .
Zu grund mit dem rest der empörer!

Ihr jauchzet · entzückt von dem teuflischen schein ·
Verprasset was blieb von dem früheren seim
Und fühlt erst die not vor dem ende.

Dann hängt ihr die zunge am trocknenden trog ·
Irrt ratlos wie vieh durch den brennenden hof . .
Und schrecklich erschallt die posaune.

Wenn dich meine wünsche umschwärmen
Mein leidender hauch dich umschwimmt –
Ein tasten und hungern und härmen:
So scheint es im tag der verglimmt
Als dränge ein rauher umschlinger
Den jugendlich biegsamen baum ·
Als glitten erkaltete finger
Auf wangen von sonnigem flaum.

Doch schliessen die schatten sich dichter
So lenkt der gedanke dich zart.
Dann gelten die klänge und lichter ·
Dann ist uns auf unserer fahrt:
Es schüttle die nacht ihre locken
Wo wirbel von sternen entfliegt ·
Wir wären von klingenden flocken
Umglänzt und geführt und gewiegt.

Mich hoben die träume und mären
So hoch dass die schwere mir wich –
Dir brachten die träume die zähren
Um andre um dich und um mich …
Nun wird diese seele dir lieber
Die bleiche von duldungen wund ·
Nun löscht sein verzehrendes fieber
Mein mund in dem blühenden mund.

UMSCHAU

Mit den gedanken ganz in dir seh ich als andre
  Gemach und stadt und silbrige allee.
Mir selber fremd bin ich erfüllt von dir und wandre
  Verzückt die nächte überm blauen schnee.

Was je versprachen glutumsäumte firmamente
  Der üppigen sommer – ward dies ganz gewährt? . .
So steht und presst den eignen arm der langgetrennte
  Den heimat grüsst und der noch zweifel nährt.

Der taumel rinnt in mildes minnen für den warter
  Dem jeder schlummer webt ein hold gespinn ·
Von dir die kleinste ferne bringt ihm süsse marter
  Und ungenossner freuden anbeginn.

Du liessest nach im staunen willig niedersinkend
  Erstöhnend vor dem jähen überfluss ·
Du standest auf in einer reinen glorie blinkend ·
  Du warst betäubt vom atemlosen kuss.

Und eine stunde kam: da ruhten die umstrickten
  Noch glühend von der lippe wildem schwung ·
Da war im raum durch den die sanften sterne blickten
  Von gold und rosen eine dämmerung.

SANG UND GEGENSANG

SANG

In zittern ist mir heut als ob ich in dir läse
   Bei unsrem glück noch viel von fremdem geist . .
Als gälte dir für schaum und flüchtiges gebläse
   Was mir den atem schwellt · in adern kreist.

Was sich für dich verströmt kannst du nicht in dich saugen?
   Befreie mich von meiner lauten angst!
War das vielleicht Mein blick – der deiner toten augen?
   War das Mein hauch als du gebrochen sangst?

GEGENSANG

Dir gibt ersterbender und sanfter klang
   Von einer hier Versunknen kunde:
Ein dumpfes gurgeln unterdrückt vom tang
   Quillt spät empor aus dunkler schrunde.

Vielleicht dass hier vom glühwurm ein geschwirr
   Und eine blume blank und schmächtig
Dich locken mag der du des weges irr
   Gern etwas weilest müd und nächtig.

Vielleicht dass eine trübe melodei
   Und dieses zuckende geschwele
Dich rühren mag und dich nicht lässt vorbei
   Am kerker der versunknen seele.

Trübe seele – so fragtest du – was trägst du trauer?
    Ist dies für unser grosses glück dein dank?
Schwache seele – so sagt ich dir – schon ist in trauer
    Dies glück verkehrt und macht mich sterbens krank.

Bleiche seele – so fragtest du – dann losch die flamme
    Auf ewig dir die göttlich in uns brennt?
Blinde seele – so sagt ich dir – ich bin voll flamme:
    Mein ganzer schmerz ist sehnsucht nur die brennt.

Harte seele – so fragtest du – ist mehr zu geben
    Als jugend gibt? ich gab mein ganzes gut . .
Und kann von höherem wunsch ein busen beben
    Als diesem: nimm zu deinem heil mein blut!

Leichte seele – so sagt ich dir – was ist dir lieben!
    Ein schatten kaum von dem was ich dir bot . .
Dunkle seele – so sagtest du – ich muss dich lieben
    Ist auch durch dich mein schöner traum nun tot.

Das lockere saatgefilde lechzet krank
Da es nach hartem froste schon die lauern
Lenzlichter fühlte und der pflüge zähne
Und vor dem stoss der vorjahr-stürme keuchte:
Sei mir nun fruchtend bad und linder trank
Von deiner nackten brust das blumige schauern
Das duften deiner leichtgewirrten strähne
Dein hauch dein weinen deines mundes feuchte.

Da waren trümmer nicht noch scherben
Da war kein abgrund war kein grab
Da war kein sehnen war kein werben:
Wo eine stunde alles gab.

Von tausend blüten war ein quillen
Im purpurlicht der zauberei.
Des vogelsangs unbändig schrillen
Durchbrach des frühlings erster schrei.

Das war ein stürzen ohne zäume
Ein rasen das kein arm beengt –
Ein öffnen neuer duftiger räume
Ein rausch der alle sinne mengt.

Nun lass mich rufen über die verschneiten
Gefilde wo du wegzusinken drohst:
Wie du mich unbewusst durch die gezeiten
Gelenkt – im anfang spiel und dann mein trost.

Du kamst beim prunk des blumigen geschmeides ·
Ich sah dich wieder bei der ersten mahd
Und unterm rauschen rötlichen getreides
Wand immer sich zu deinem haus mein pfad.

Dein wort erklang mir bei des laubes dorren
So traulich dass ich ganz mich dir befahl
Und als du schiedest lispelte verworren
In seufzertönen das verwaiste tal.

So hat das schimmern eines augenpaares
Als ziel bei jeder wanderung geglimmt.
So ward dein sanfter sang der sang des jahres
Und alles kam weil du es so bestimmt.

LOBGESANG

Du bist mein herr! wenn du auf meinem weg ·
Viel-wechselnder gestalt doch gleich erkennbar
Und schön · erscheinst beug ich vor dir den nacken.
Du trägst nicht waffe mehr noch kleid noch fittich
Nur Einen schmuck: ums haar den dichten kranz.
Du rührest an – ein duftiger taumeltrank
Befängt den sinn der deinen odem spürt
Und jede fiber zuckt von deinem schlag.
Der früher nur den Sänftiger dich hiess
Gedachte nicht dass deine rosige ferse
Dein schlanker finger so zermalmen könne.
Ich werfe duldend meinen leib zurück
Auch wenn du kommst mit deiner schar von tieren
Die mit den scharfen klauen mäler brennen
Mit ihren hauern wunden reissen · seufzer
Erpressend und unnennbares gestöhn.
Wie dir entströmt geruch von weicher frucht
Und saftigem grün: so ihnen dunst der wildnis.
Nicht widert staub und feuchte die sie führen ·
Kein ding das webt in deinem kreis ist schnöd.
Du reinigst die befleckung · heilst die risse
Und wischst die tränen durch dein süsses wehn.
In fahr und fron · wenn wir nur überdauern ·
Hat jeder tag mit einem sieg sein ende –
So auch dein dienst: erneute huldigung
Vergessnes lächeln ins gestirnte blau.

KUNFTTAG I

Dem bist du kind · dem freund.
Ich seh in dir den Gott
Den schauernd ich erkannt
Dem meine andacht gilt.

Du kamst am lezten tag
Da ich von harren siech
Da ich des betens müd
Mich in die nacht verlor:

Du an dem strahl mir kund
Der durch mein dunkel floss ·
Am tritte der die saat
Sogleich erblühen liess.

EINVERLEIBUNG

Nun wird wahr was du verhiessest:
Dass gelangt zur macht des Trones
Andren bund du mit mir schliessest –
Ich geschöpf nun eignen sohnes.

Nimmst nun in geheimster ehe
Teil mit mir am gleichen tische
Jedem quell der mich erfrische
Allen pfaden die ich gehe.

Nicht als schatten und erscheinung
Regst du dich mir im geblüte.
Um mich schlingt sich deine güte
Immer neu zu seliger einung.

All mein sinn hat dir entnommen
Seine farbe glanz und maser
Und ich bin mit jeder faser
Ferner brand von dir entglommen.

Mein verlangen hingekauert
Labest du mit deinem seime.
Ich empfange von dem keime
Von dem hauch der mich umdauert:

Dass aus schein und dunklem schaume
Dass aus freudenruf und zähre
Unzertrennbar sich gebäre
Bild aus dir und mir im traume.

ENTRÜCKUNG

Ich fühle luft von anderem planeten.
Mir blassen durch das dunkel die gesichter
Die freundlich eben noch sich zu mir drehten.

Und bäum und wege die ich liebte fahlen
Dass ich sie kaum mehr kenne und Du lichter
Geliebter schatten – rufer meiner qualen –

Bist nun erloschen ganz in tiefern gluten
Um nach dem taumel streitenden getobes
Mit einem frommen schauer anzumuten.

Ich löse mich in tönen · kreisend · webend ·
Ungründigen danks und unbenamten lobes
Dem grossen atem wunschlos mich ergebend.

Mich überfährt ein ungestümes wehen
Im rausch der weihe wo inbrünstige schreie
In staub geworfner beterinnen flehen:

Dann seh ich wie sich duftige nebel lüpfen
In einer sonnerfüllten klaren freie
Die nur umfängt auf fernsten bergesschlüpfen.

Der boden schüttert weiss und weich wie molke . .
Ich steige über schluchten ungeheuer ·
Ich fühle wie ich über lezter wolke

In einem meer kristallnen glanzes schwimme –
Ich bin ein funke nur vom heiligen feuer
Ich bin ein dröhnen nur der heiligen stimme.

LANDSCHAFT III

Dies ist der hüttenraum wo durch die lücke
Wandernd von bleichen firnen her ein schwacher
Mondschein der dämmerung gleitet – wo ich wacher
Mich tief herab auf deinen schlummer bücke.

Durch steile pfade an granitnen klötzen
Mir war durch weit entrollte wiesenplane
Dein auge zauberblauer enziane
Und deiner wange flaumiges weiss ergötzen.

Durch lange steige in zerhöhlten runnen
Wo wir uns aufwärts halfen mit dem stabe
War mir dein reiner odem eine labe
Mehr als im schwülen mittag kühler brunnen.

Du wirst geweckt vom gruss der morgenlüfte
Dich wieder wenden zu dem fruchtgelände.
Der stumme abschied schattet auf die wände . .
Ich muss allein nun fürder durch die klüfte.

In einer enge von verbliebnem eise
Vorüber an verschneiten felsenstöcken
Gelang ich zu den drohenden riesenblöcken
Wo starre wasser stehn im öden gleise.

Schon sausen winde in den lezten arven ·
Der aufstieg im geröll wird rauher wüster . .
Wo jede wegspur sich verliert im düster
Summen des abgrunds dunkle harfen.

LITANEI

Tief ist die trauer
die mich umdüstert ·
Ein tret ich wieder
Herr! in dein haus . .

Lang war die reise ·
matt sind die glieder ·
Leer sind die schreine ·
voll nur die qual.

Durstende zunge
darbt nach dem weine.
Hart war gestritten ·
starr ist mein arm.

Gönne die ruhe
schwankenden schritten ·
Hungrigem gaume
bröckle dein brot!

Schwach ist mein atem
rufend dem traume ·
Hohl sind die hände ·
fiebernd der mund . .

Leih deine kühle ·
lösche die brände ·
Tilge das hoffen ·
sende das licht!

Gluten im herzen
lodern noch offen ·
Innerst im grunde
wacht noch ein schrei . .

Töte das sehnen ·
schliesse die wunde!
Nimm mir die liebe ·
gieb mir dein glück!

VORKLANG

Sterne steigen dort ·
Stimmen an den sang.
Sterne sinken dort
Mit dem wechselsang:

Dass du schön bist
Regt den weltenlauf.
Wenn du mein bist
Zwing ich ihren lauf.

Dass du schön bist
Bannt mich bis zum tod.
Dass du herr bist
Führt in not und tod.

›Dass ich schön bin
Also deucht es mir.
Dass ich dein bin
Also schwör ich dir.‹

Im windes-weben
War meine frage
Nur träumerei.
Nur lächeln war
Was du gegeben.
Aus nasser nacht
Ein glanz entfacht –
Nun drängt der mai ·
Nun muss ich gar
Um dein aug und haar
Alle tage
In sehnen leben.

Mein kind kam heim.
Ihm weht der seewind noch im haar ·
Noch wiegt sein tritt
Bestandne furcht und junge lust der fahrt.

Vom salzigen sprühn
Entflammt noch seiner wange brauner schmelz:
Frucht schnell gereift
In fremder sonnen wildem duft und brand.

Sein blick ist schwer
Schon vom geheimnis das ich niemals weiss
Und leicht umflort
Da er vom lenz in unsern winter traf.

So offen quoll
Die knospe auf dass ich fast scheu sie sah
Und mir verbot
Den mund der einen mund zum kuss schon kor.

Mein arm umschliesst
Was unbewegt von mir zu andrer welt
Erblüht und wuchs –
Mein eigentum und mir unendlich fern.

SÜDLICHER STRAND: BUCHT

Lang zog ich auf und ab dieselben küsten ·
Von stolzen städten eine perlenschnur ·
Hier oder dort den hochzeit-tisch zu rüsten . . .
Ein fremdling geht hinaus zur flur.

So oft ich weile auf denselben brücken ·
Nicht weiser – nur vergrämter jedesmal ·
Lass ich von alter hoffnung mich berücken
Umgleit ich harrend manch portal.

Wenn hoch im saale sich die paare drehn
Im bunten schmuck mit blumen um die schläfen:
Folg ich den ärmsten wandlern in den häfen . .
So sehr ist qual allein zu gehn.

Darfst du bei nacht und bei tag
Fordern dein teil noch · du schatten ·
All meinen freuden dich gatten ·
Rauben von jedem ertrag?

Bringt noch dein saugen mir lust
Der du das erz aus mir schürftest ·
Der du den wein aus mir schlürftest –
Schaudr ich noch froh beim verlust?

Ob ich nun satt deiner qual
Mit meinen spendungen karge?
Zwing ich dich nieder im sarge ·
Treib ich ins herz dir den pfahl?

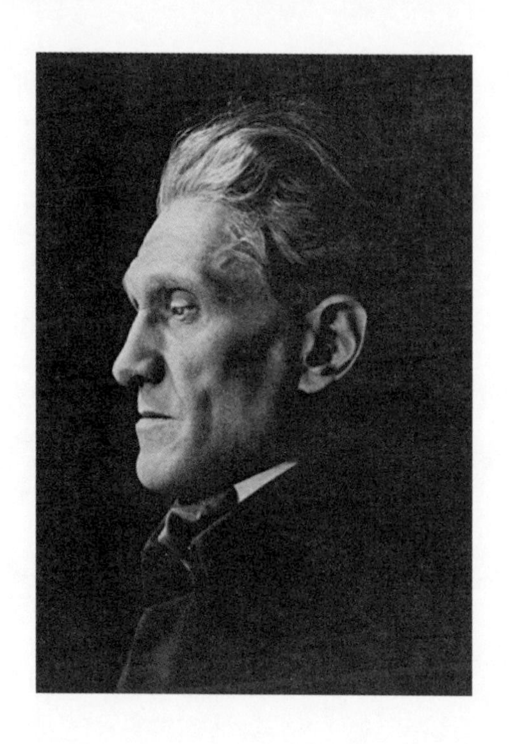

DER STERN DES BUNDES

DU STETS NOCH ANFANG UNS UND END UND MITTE
Auf deine bahn hienieden · Herr der Wende ·
Dringt unser preis hinan zu deinem sterne.
Damals lag weites dunkel überm land
Der tempel wankte und des Innern flamme
Schlug nicht mehr hoch uns noch von andrem fiebern
Erschlafft als dem der väter: nach der Heitren
Der Starken Leichten unerreichten thronen
Wo bestes blut uns sog die sucht der ferne ...
Da kamst du spross aus unsrem eignen stamm
Schön wie kein bild und greifbar wie kein traum
Im nackten glanz des gottes uns entgegen:
Da troff erfüllung aus geweihten händen
Da ward es licht und alles sehnen schwieg.

Der du uns aus der qual der zweiheit löstest
Uns die verschmelzung fleischgeworden brachtest
Eines zugleich und Andres · Rausch und Helle:
Du warst der beter zu den wolkenthronen
Der mit dem geiste rang bis er ihn griff
Und sich zum opfer bot an seinem tage . .
Und warst zugleich der freund der frühlingswelle
Der schlank und blank sich ihrem schmeicheln gab
Und warst der süsse schläfer in den fluren
Zu dem ein Himmlischer sich niederliess.
Wir schmückten dich mit palmen und mit rosen
Und huldigten vor deiner doppel-schöne
Doch wussten nicht dass wir vorm leibe knieten
In dem geburt des gottes sich vollzog.

Ihr wisst nicht wer ich bin . . nur dies vernehmt:
Noch nicht begann ich wort und tat der erde
Was mich zum menschen macht . . nun naht das jahr
In dem ich meine neue form bestimme.
Ich wandle mich doch wahre gleiches wesen
Ich werde nie wie ihr: schon fiel die wahl.
So bringt die frommen zweige und die kränze
Von veilchenfarbenen von todesblumen
Und tragt die reine flamme vor: lebt wohl!
Schon ist der schritt getan auf andre bahn
Schon ward ich was ich will. Euch bleibt beim scheiden
Die gabe die nur gibt wer ist wie ich:
Mein anhauch der euch mut und kraft belebe
Mein kuss der tief in eure seelen brenne.

Ergeben steh ich vor des rätsels macht
Wie er mein kind ich meines kindes kind . .
Wie sein gesetz ist dass aus erdenstoff
Der Hohe wird und eh ihn tat versehrt
Mit schmerz und lächeln seinen heimweg nimmt.
Wie sein gesetz ist dass sich der erfüllt
Der sich und allen sich zum opfer gibt
Und dann die tat mit seinem tod gebiert.
Die tiefste wurzel ruht in ewiger nacht . .
Die ihr mir folgt und fragend mich umringt
Mehr deutet nicht! ihr habt nur mich durch ihn!
Ich war verfallen als ich neu gedieh . .
Lasst was verhüllt ist: senkt das haupt mit mir:
›O Retter‹ in des dunklen grauens wind.

Ich bin der Eine und bin Beide
Ich bin der zeuger bin der schooss
Ich bin der degen und die scheide
Ich bin das opfer bin der stoss
Ich bin die sicht und bin der seher
Ich bin der bogen bin der bolz
Ich bin der altar und der fleher
Ich bin das feuer und das holz
Ich bin der reiche bin der bare
Ich bin das zeichen bin der sinn
Ich bin der schatten bin der wahre
Ich bin ein end und ein beginn.

Auf der brust an deines herzens stelle
Lass den mund mich legen dass er drinne
Alter fieber zuckend schwären sauge
Wie der heilungstein das gift der wunde.
Meine hand in deiner gibt den strom
Deinen gliedern dass sie frei sich regen . .
Klag nun nicht dass dein genesend hirn
Schwarze dünste von verwesten träumen
Immer wieder füllten – denn sie lodern
Flüchtig auf im brande dieser liebe!

Was ist geschehn dass ich mich kaum noch kenne
Kein andrer bin und mehr doch als ich war?
Wer mich geliebt geehrt tut es nicht minder
Gefährten suchen mich mit schöner scheu.
Kein frühres fehlt mir: meiner sommer freuden
Und stolzer traum und weicher lippe kuss . .
Ein kühnres wallen pocht in meinem blute –
Ich war noch arm als ich noch wahrt und wehrte
Seitdem ich ganz mich gab hab ich mich ganz.

ÜBER WUNDER SANN ICH NACH
In der weisheit untern kammern:
War der gott der mich erleuchtet
War der geist der mir erschienen
Fern aus unermessnen höhn?
Hab ich selber ihn geboren?
Schweig gedanke! seele bete!
Ist ein wunder gleich dem einen
Wunder dieses ganzen jahrs?
Riss ich nicht ins enge leben
Durch die stärke meiner liebe
Einen stern aus seiner bahn?

Ist dies der knabe längster sage
Der seither kam mit schmeichler-augen
Mit rosig weichen mädchengliedern
Mit üppigen binden im gelock?
Sein leib ward schlank und straff. Er greift ·
Er lockt nicht mehr · ist ohne schmuck.
Von mut und lust des kampfes leuchtet
Sein blick . . sein kuss ist kurz und brennend.
Hat er besämt aus heiligem schoosse
Drängt er in mühe und gefahr.

Wer je die flamme umschritt
Bleibe der flamme trabant!
Wie er auch wandert und kreist:
Wo noch ihr schein ihn erreicht
Irrt er zu weit nie vom ziel.
Nur wenn sein blick sie verlor
Eigener schimmer ihn trügt:
Fehlt ihm der mitte gesetz
Treibt er zerstiebend ins all.

Ihr seid bekenner mit all-offnem blick
Opfrer bekränzt das freie haar im wind
Den besten gleich im regen spiel der glieder . .
Elend sind sie die eures bandes spotten
Die auf euch starren und in eignen fesseln
Sich lieber quälen als dem sprenger danken . .
Der bangste zwang nicht freiheit ist ihr zweifeln
Und missform müdigkeit und lähme . . Glaube
Ist kraft von blut ist kraft des schönen lebens.

GOTTES PFAD IST UNS GEWEITET
Gottes land ist uns bestimmt
Gottes krieg ist uns entzündet
Gottes kranz ist uns erkannt.
Gottes ruh in unsren herzen
Gottes kraft in unsrer brust
Gottes zorn auf unsren stirnen
Gottes brunst auf unsrem mund.
Gottes band hat uns umschlossen
Gottes blitz hat uns durchglüht
Gottes heil ist uns ergossen
Gottes glück ist uns erblüht.

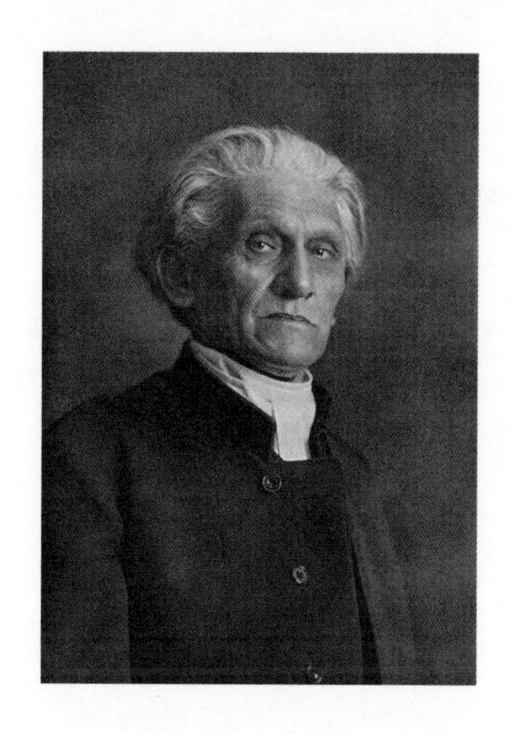

DAS NEUE REICH

GOETHES LEZTE NACHT IN ITALIEN

Welch ein schimmer traf mich vom südlichen meer?
Fichten seh ich zwei ihre schwarzen flügel
Recken ins stetige blau der nacht und dazwischen
Silbern in ruhigem flimmern ein einziger stern.
Aus den büschen tritt nun das Paar . . vor dem Bild
Mitten im laub-rund · leuchtender marmor wie sie ·
Tun sie noch immer umschlungen den grossen schwur.
Mächtig durch der finsteren bräuche gewalt
Heben sie nun ihre häupter für herrschaft und helle.
Staunend hört ihren heldengesang die verklärung
Ewiger räume · dann trägt ihn der duftige wind
Über das schlummernde land und die raunende see.

Abschied reisst durch die brust – von dem heiligen boden
Wo ich erstmals wesen wandeln im licht
Sah und durch reste der säulen der Seligen reigen . .
Ich den ihr preisend ›herz eures volkes‹ genannt
›Echtesten erben‹: hier hab ich vor armut gezittert ·
Hier ward erst mensch der hier wiederbegonnen als kind.
Durch die nebel schon hör ich euch schmälende stimmen:
›Hellas' lotus liess ihn die heimat vergessen‹ . . .
O dass mein wort ihr verstündet – kein weiseres frommt euch –
›Nicht nur in tropfen · nein traget auch fürder in strömen
Von eurem blute das edelste jenseit der berge ·
Anteil und sinn euch solang ihr noch unerlöst‹.

Euch betraf nicht beglückterer stämme geschick
Denen ein Seher erstand am beginn ihrer zeiten
Der noch ein sohn war und nicht ein enkel der Gäa
Der nicht der irdischen schichten geheimnis nur spürte
Der auch als gast in ambrosischen hallen geweilt
Der dort ein scheit des feuers stahl für sein volk
Das nun sein lebenlang ganz nicht mehr tastet in irre
Der in die schluchten der grausigen Hüterinnen
Die an den wurzeln im Untersten sitzen · sich wagte
Die widerstrebenden schreienden niederrang
Ihnen die formel entreissend mit der er beschwört ...
Solch einer ward euch nicht und ich bin es nicht.

Früh einst – so denkt es mir – trug ein bewimpeltes schiff
Uns in das nachbarlich rheinische rebengeländ ..
Hellblauer himmel des herbstes besonnte die gaue
Weisse häuser und eichen-kronige gipfel ..
Und sie luden die lezten trauben am hügel
Schmückten mit kränzen die bütten · die festlichen winzer ·
Nackte und golden gepuzte mit flatternden bändern ..
Lachend mit tosendem sange beim dufte des mostes
Also stürmte die strasse am tiefgrünen strom
Purpurnes weinlaub im haare der bacchische zug.
Dort an dem römischen Walle · der grenze des Reichs ·
Sah ich in ahnung mein heimliches muttergefild.

Unter euch lebt ich im lande der träume und töne
In euren domen verweilt ich · ehrfürchtiger beter ·
Bis mich aus spitzen und schnörkeln aus nebel und trübe
Angstschrei der seele hinüber zur sonne rief.
Heimwärts bring ich euch einen lebendigen strahl ·
Dränge zutiefst in den busen die dunkleren flammen ·
Euch ein verhängnis solang ihr verworren noch west.
Nehmt diesen strahl in euch auf – o nennt ihn nicht kälte! –
Und ich streu euch inzwischen im buntesten wechsel
Steine und kräuter und erze: nun alles · nun nichts . .
Bis sich verklebung der augen euch löst und ihr merket:
Zauber des Dings – und des Leibes · der göttlichen norm.

Lange zwar sträuben sich gegen die Freudige Botschaft
Grad eure klügsten · sie streichen die wallenden bärte ·
Zeigen mit fingern in stockige bücher und rufen:
›Feind unsres vaterlands · opfrer an falschem altar‹ . . .
Ach wenn die fülle der zeiten gekommen: dann werden
Wieder ein tausendjahr eurer Gebieter und Weisen
Nüchternste sinne und trotzigste nacken gefüge
Ärmlicher schar von verzückten landflüchtigen folgen
Sich bekehren zur wildesten wundergeschichte
Leibhaft das fleisch und das blut eines Mittlers geniessen ·
Knieen im staube ein weiteres tausendjahr
Vor einem knaben den ihr zum gott erhebt.

Doch wohin lockst du und führst du · erhabenes Paar? . .
Sind es die schatten der sehnsucht · lieblich und
quälend? . .
Säulenhöfe seh ich mit bäumen und brunnen
Jugend und alter in gruppen bei werk und bei musse
Maass neben stärke . . so weiss ich allein die gebärden
Attischer würde . . die süssen und kräftigen klänge
Eines äolischen mundes. Doch nein: ich erkenne
Söhne meines volkes – nein: ich vernehme
Sprache meines volkes. Mich blendet die freude.
Wunder hat sich erfüllt von marmor und rosen . . .
Welch ein schauer des ungebahnten erbebt?
Welch ein schimmer traf mich vom südlichen meer?

DER KRIEG

> . . . . WEM DAS GEWISSEN DROHE
> MIT EIGNER ODER FREMDER SCHANDE DRUCKE
> EMPFINDET DEINE WORTE WOL ALS ROHE.
>
> DEM OHNGEACHTET HALT DICH FREI VON SCHMUCKE
> UND GANZ ERÖFFNE DAS VON DIR GESCHAUTE.
> LASS ES GESCHEHN DASS WEN ES BEISST SICH JUCKE.
>
> WENN AUCH BESCHWERLICH WERDEN DEINE LAUTE
> BEIM ERSTEN KOSTEN: WIRD LEBENDIGE ZEHRUNG
> MAN DRAUS ENTNEHMEN WENN MAN SIE VERDAUTE.
> Dante · Göttliche Komödie · Himmel XVII

Wie das getier der wälder das bisher
Sich scheute oder fletschend sich zerriss
Bei jähem brand und wenn die erde bebt
Sich sucht und nachbarlich zusammendrängt:
So in zerspaltner heimat schlossen sich
Beim schrei DER KRIEG die gegner an . . ein hauch
Des unbekannten eingefühls durchwehte
Von schicht zu schicht und ein verworrnes ahnen
Was nun beginnt . . . Für einen augenblick
Ergriffen von dem welthaft hohen schauer
Vergass der feigen jahre wust und tand
Das volk und sah sich gross in seiner not.

Sie kamen zu dem Siedler auf dem berg:
›Liegst du noch still beim ungeheuren los?‹
Der sprach: dies frösteln war das edelste! . .
Was euch erschüttert ist mir lang vertraut ·
Lang hab ich roten schweiss der angst geschwizt
Als man mit feuer spielte . . meine tränen
Vorweg geweint . . heut find ich keine mehr.
Das meiste war geschehn und keiner sah . .
Das trübste wird erst sein und keiner sieht.
Ihr lasst euch pressen von der äussern wucht . .
Dies sind die flammenzeichen · nicht die kunde.
Am streit wie ihr ihn fühlt nehm ich nicht teil.

Nie wird dem Seher dank . . er trifft auf hohn
Und steine · ruft er unheil – wut und steine
Wenn es hereinbrach. Angehäufte frevel
Von allen zwang und glück genannt · verhehlter
Abfall von Mensch zu Larve heischen busse . .
Was ist IHM mord von hunderttausenden
Vorm mord am Leben selbst? Er kann nicht schwärmen
Von heimischer tugend und von welscher tücke.
Hier hat das weib das klagt · der satte bürger ·
Der graue bart ehr schuld als stich und schuss
Des widerparts an unsrer söhn und enkel
Verglasten augen und zerfeztem leib.

SEIN amt ist lob und fem · gebet und sühne ·
Er liebt und dient auf seinem weg. Die jüngsten
Der teuren sandt er aus mit segenswunsch . .
Sie wissen was sie treibt und was sie feit . .
Sie ziehn um keinen namen – nein um sich.
IHN packt ein tiefres grausen. Die Gewalten
Nennt er nicht fabel. Wer begreift sein flehn:
›Die ihr die fuchtel schwingt auf leichenschwaden ·
Wollt uns bewahren vor zu leichtem schlusse
Und vor der ärgsten · vor der Blut-schmach!‹ Stämme
Die sie begehn sind wahllos auszurotten
Wenn nicht ihr bestes gut zum banne geht.

Zu jubeln ziemt nicht: kein triumf wird sein ·
Nur viele untergänge ohne würde . .
Des schöpfers hand entwischt rast eigenmächtig
Unform von blei und blech · gestäng und rohr.
Der selbst lacht grimm wenn falsche heldenreden
Von vormals klingen der als brei und klumpen
Den bruder sinken sah · der in der schandbar
Zerwühlten erde hauste wie geziefer . .
Der alte Gott der schlachten ist nicht mehr.
Erkrankte welten fiebern sich zu ende
In dem getob. Heilig sind nur die säfte
Noch makelfrei versprizt – ein ganzer strom.

Wo zeigt der Mann sich der vertritt? das Wort
Das einzig gilt fürs spätere gericht?
Spotthafte könige mit bühnenkronen ·
Sachwalter · händler · schreiber – pfiff und zahl.
Auch in verbriefter ordnung grenzen: taumel ·
Dann drohnde wirrsal . . da entstieg gestützt
Auf seinen stock farblosem vororthaus
Der fahlsten unsrer städte ein vergessner
Schmuckloser greis . . der fand den rat der stunde
Und rettete was die gebärdig lauten
Schliesslich zum abgrundsrand gebracht: das reich . .
Doch vor dem schlimmren feind kann er nicht retten.

›Fehlt dir der blick für solch ein maass von opfern
Und kraft der allheit?‹ Diese sind auch drüben.
Das nötige werk der pflicht bleibt stumpf und glanzlos
Und opfer steigt nicht in verruchter zeit . .
Menge ist wert · doch ziellos · schafft kein sinnbild ·
Hat kein gedächtnis – Was fragt sich der Weise?
Sie troff im schwatz von wolfahrt · menschlichkeit
Und hebt nun an das greulichste gemetzel.
Nach speichel niedrigster umwerbung: geifer
Gemeinsten schimpfs! . . und was sich eben hezt
Umkröche sich geschmiegt wenn sich erhöbe
Furchtbar vor ihm das künftige gesicht.

Und was schwillt auf als geist! Solch zart gewächs
Hat fernab sein entstehn ... Wie faulige frucht
Schmeckt das gered von hoh-zeit auferstehung
In welkem ton. Wer gestern alt war kehrt nicht
Jezt heim als neu und wer ein richtiges sagt
Und irrt im lezten steckt im stärksten wahn.
Spricht Aberwitz: ›Nun lernten wir fürs nächste‹
Ach dies wird wiederum anders! .. dafür rüstet
Nur vollste umkehr: schau und innrer sinn.
Keiner der heute ruft und meint zu führen
Merkt wie er tastet im verhängnis · keiner
Erspäht ein blasses glühn vom morgenrot.

Weit minder wundert es dass soviel sterben
Als dass soviel zu leben wagt. Wer schritthielt
Mit dem Jahrhundert darf heut spuk nur sehn.
Der hilft sich · kind und narr: ›Du hasts gewollt‹
Alle und keiner – heisst das bündige urteil.
Der lügt sich · schelm und narr: ›Diesmal winkt sicher
Das Friedensreich.‹ Verstrich die frist: müsst wieder
Ihr waten bis zum knöchel bis zum knie
Im most des grossen Keltrers .. doch dann schoss
Ein nachwuchs auf · der hat kein heuchel-auge:
Er hat das schicksalsauge das der schreck
Des ehernen fugs gorgonisch nicht versteint.

In beiden lagern kein Gedanke – wittrung
Um was es geht . . . Hier: sorge nur zu krämern
Wo schon ein andrer krämert . . ganz zu werden
Was man am andren schmäht und sich zu leugnen
›Ein volk ist tot wenn seine götter tot sind‹
Drüben: ein pochen auf ehmaligen Vorrang
Von pracht und sitte · während feile nutzsucht
Bequem veratmen will . . im schooss der hellsten
Einsicht kein schwacher blink · dass die Verpönten
Was fallreif war zerstören · dass vielleicht
Ein ›Hass und Abscheu menschlichen geschlechtes‹
Zum weitren male die erlösung bringt.

Doch endet nicht mit fluch der sang. Manch ohr
Verstand schon meinen preis auf stoff und stamm ·
Auf kern und keim . . schon seh ich manche hände
Entgegen mir gestreckt · sag ich: o Land
Zu schön als dass dich fremder tritt verheere:
Wo flöte aus dem weidicht tönt · aus hainen
Windharfen rauschen · wo der Traum noch webt
Untilgbar durch die jeweils trünnigen erben . .
Wo die allblühende Mutter der verwildert
Zerfallnen weissen Art zuerst enthüllte
Ihr echtes antlitz . . Land dem viel verheissung
Noch innewohnt – das drum nicht untergeht!

Die jugend ruft die Götter auf . . Erstandne
Wie Ewige nach des Tages fülle . . Lenker
Im sturmgewölk gibt Dem des heitren himmels
Das zepter und verschiebt den Längsten Winter.
Der an dem Baum des Heiles hing warf ab
Die blässe blasser seelen · dem Zerstückten
Im glut-rausch gleich . . Apollo lehnt geheim
An Baldur: ›Eine weile währt noch nacht ·
Doch diesmal kommt von Osten nicht das licht.‹
Der kampf entschied sich schon auf sternen: Sieger
Bleibt wer das schutzbild birgt in seinen marken
Und Herr der zukunft wer sich wandeln kann.

DER DICHTER IN ZEITEN DER WIRREN

DEM ANDENKEN DES GRAFEN BERNHARD UXKULL

Der Dichter heisst im stillern gang der zeit
Beflügelt kind das holde träume tönt
Und schönheit bringt ins tätige getrieb.
Doch wenn aus übeln sich das wetter braut
Das schicksal pocht mit lauten hammerschlägen
Klingt er wie rauh metall und wird verhört . .
Wenn alle blindheit schlug · er einzig seher
Enthüllt umsonst die nahe not . . dann mag
Kassandra-warnen heulen durch das haus
Die tollgewordne menge sieht nur eins:
Das pferd · das pferd! und rast in ihren tod.
Dann mag profeten-ruf des stammgotts groll
Vermelden und den trab von Assurs horden
Die das erwählte volk in knechtschaft schleppen:
Der weise Rat hat sichreren bericht
Verlacht den mahner · sperrt ihn ins verlies.
Wenn rings die Heilige Stadt umzingelt ist
Bürger und krieger durcheinander rennen
Fürsten und priester drin sich blutig raufen
Um einen besenstiel indes schon draussen
Das stärkste bollwerk fällt: er seufzt und schweigt.
Wenn der erobrer dann mit raub und brand
Hereinstürmt und ins joch zwingt mann und weib
Ein teil wutschäumend seine eigne schuld
Abwälzend auf den andren lädt · ein teil
Entbehrungsmüd sich um die brocken balgt
Die ihm der freche sieger vorwirft · johlend
Und tanzend sich betäubt · am riste leckt
Der tritt und schlägt: Er fernab fühlt allein
Das ganze elend und die ganze schmach.

Geh noch einmal zum berg zu deinen geistern
Und bring uns tröstlicheren spruch der löse
Aus dieser trübsal! .. also spricht ein greis ...
Was soll hier himmels stimme wo kein ohr ist
Für die des plansten witzes? was soll rede
Vom geiste wo kein allgemeiner trieb ist
Als der des trogs? wo jede zunft die andre
Beschimpfend stets ihr leckes boot empfiehlt
Das kläglich scheiterte · heil sucht in mehrung
Ihr lieben tandes? wo die klügsten fabeln
Vom frischen aufbau mit den alten sünden
Und raten: macht euch klein wie würmer dass euch
Der donner schont der blitz euch nicht gewahrt ...
Der ganze stamm der lebenden der hinfuhr
Durch lange irrsal wird vor seinen götzen
Die ihn in staub und niedrigkeit geworfen
So oft sie lügen immer weiter räuchern
Hat seines daseins oberstes gesetz
Hat was ihm den bestand verbürgt vergessen
Glaubt an den Lenker nicht · braucht nicht den Sühner
Will sich mit list aus dem verhängnis ziehn.
Noch härtre pflugschar muss die scholle furchen
Noch dickrer nebel muss die luft bedräun . .
Der blassest blaue schein aus wolkenfinster
Bricht auf die Heutigen erst herein wenn alles
Was eine sprache spricht die hand sich reicht
Um sich zu wappnen wider den verderb –
Gleichviel ob rot ob blau ob schwarz die fahlen
Verschlissnen fahnenfetzen von sich schüttelt
Und tag und nacht nur an die Vesper denkt.

Der Sänger aber sorgt in trauer-läuften
Dass nicht das mark verfault · der keim erstickt.
Er schürt die heilige glut die über-springt
Und sich die leiber formt · er holt aus büchern
Der ahnen die verheissung die nicht trügt
Dass die erkoren sind zum höchsten ziel
Zuerst durch tiefste öden ziehn dass einst
Des erdteils herz die welt erretten soll . .
Und wenn im schlimmsten jammer lezte hoffnung
Zu löschen droht: so sichtet schon sein aug
Die lichtere zukunft. Ihm wuchs schon heran
Unangetastet von dem geilen markt
Von dünnem hirngeweb und giftigem flitter
Gestählt im banne der verruchten jahre
Ein jung geschlecht das wieder mensch und ding
Mit echten maassen misst · das schön und ernst
Froh seiner einzigkeit · vor Fremdem stolz ·
Sich gleich entfernt von klippen dreisten dünkels
Wie seichtem sumpf erlogner brüderei
Das von sich spie was mürb und feig und lau
Das aus geweihtem träumen tun und dulden
Den einzigen der hilft den Mann gebiert . .
Der sprengt die ketten fegt auf trümmerstätten
Die ordnung · geisselt die verlaufnen heim
Ins ewige recht wo grosses wiederum gross ist
Herr wiederum herr · zucht wiederum zucht · er heftet
Das wahre sinnbild auf das völkische banner
Er führt durch sturm und grausige signale
Des frührots seiner treuen schar zum werk
Des wachen tags und pflanzt das Neue Reich.

GEHEIMES DEUTSCHLAND

Reiss mich an deinen rand
Abgrund – doch wirre mich nicht!

Wo unersättliche gierde
Von dem pol bis zum gleicher
Schon jeden zoll breit bestapft hat
Mit unerbittlicher grelle
Ohne scham überblitzend
Alle poren der welt:

Wo hinter maassloser wände
Hässlichen zellen ein irrsinn
Grad erfand was schon morgen
Weitste weite vergiftet
Bis in wüsten die reitschaar
Bis in jurten den senn:

Wo nicht mehr · rauher obhut ·
Säugt in steiniger waldschlucht
Zwillingsbrüder die wölfin
Wo nicht · den riesen ernährend ·
Wilde inseln mehr grünen
Noch ein jungfrauen-land:

Da in den äussersten nöten
Sannen die Untern voll sorge ·
Holten die Himmlischen gnädig
Ihr lezt geheimnis . . sie wandten
Stoffes gesetze und schufen
Neuen raum in den raum . . .

Einst lag ich am südmeer
Tief-vergrämt wie der Vorfahr
Auf geplattetem fels
Als mich der Mittagschreck
Vorbrechend durchs ölgebüsch
Anstiess mit dem tierfuss:

›Kehr in die heilige heimat
Findst ursprünglichen boden
Mit dem geschärfteren aug
Schlummernder fülle schooss
Und so unbetretnes gebiet
Wie den finstersten urwald‹ . .

Fittich des sonnentraums
Streiche nun nah am grund!

Da hört ich von Ihm der am klippengestad
Aus klaffendem himmel im morgenschein
Ein nu lang die Olympischen sah
Worob ein solches grausen ihn schlug
Dass er zu der freunde mahl nicht mehr kam
Und sprang in die schäumenden fluten.

In der Stadt wo an pfosten und mauereck
Jed nichtig begebnis von allerwärts
Für eiler und gaffer hing angeklebt:
Versah sich keiner des grossen geschehns
Wie drohte im wanken von pflaster und bau
Unheimlichen schleichens der Dämon.

Da stand ER in winters erleuchtetem saal
Die schimmernde schulter vom leibrock verhüllt
Das feuer der wange von buschigem kranz ·
Da ging vor den blicken der blöden umhegt
Im warmen hell-duftenden frühlingswehn
Der Gott die blumigen bahnen.

Der horcher der wisser von überall
Ballwerfer mit sternen in taumel und tanz
Der fänger unfangbar – hier hatte geraunt
Bekennenden munds unterm milchigen glast
Der kugel gebannt die apostelgestalt:
›Hier fass ich nicht mehr und verstumme‹

Dann aus der friedfertigen ordnung bezirk
Brach aus den fosfor-wolken der nacht
Wie rauchende erden im untergang
Volltoniges brausen des schlachtengetobs ·
Es stürmten durch dust und bröcklig geröll
Die silberhufigen rosse.

Bald traf ich Ihn der mattgoldnen gelocks
Austeilte in lächeln wohin er trat
Die heiterste ruh – von uns allen erklärt
Zum liebling des glückes bis spät er gestand
Im halt des gefährten hab er sich verzehrt –
Sein ganzes dasein ein opfer.

Den liebt ich der · mein eigenstes blut ·
Den besten gesang n a c h dem besten sang . .
Weil einst ein kostbares gut ihm entging
Zerbrach er lässig sein lautenspiel

Geduckt die stirn für den lorbeer bestimmt
Still wandelnd zwischen den menschen.

Durch märkte und gassen des festlands hin
Wo oft ich auf wacht stand · bat ich um bescheid
Das hundertäugig allkunde Gerücht:
›Ist ähnliches je dir begegnet?‹ Worauf
Vom ungern Erstaunten die antwort kam:
›Alles – doch solches noch niemals‹.

Heb mich auf deine höh
Gipfel – doch stürze mich nicht!

Wer denn · wer von euch brüdern
Zweifelt · schrickt nicht beim mahnwort
Dass was meist ihr emporhebt
Dass was meist heut euch wert dünkt
Faules laub ist im herbstwind
Endes- und todesbereich:

Nur was im schützenden schlaf
Wo noch kein taster es spürt
Lang in tiefinnerstem schacht
Weihlicher erde noch ruht –
Wunder undeutbar für heut
Geschick wird des kommenden tages.

DER GEHENKTE

DER FRAGER:

Den ich vom galgen schnitt · wirst du mir reden?

DER GEHENKTE:

Als unter der verwünschung und dem schrei
Der ganzen stadt man mich zum tore schleppte
Sah ich in jedem der mit steinen warf
Der voll verachtung breit die arme stemmte
Der seinen finger reckte auf der achsel
Des vordermanns das aug weit aufgerissen ·
Dass in ihm einer meiner frevel stak
Nur schmäler oder eingezäumt durch furcht.
Als ich zum richtplatz kam und strenger miene
Die Herrn vom Rat mir beides: ekel zeigten
Und mitleid musst ich lachen: ›ahnt ihr nicht
Wie sehr des armen sünders ihr bedürft?‹
Tugend – die ich verbrach – auf ihrem antlitz
Und sittiger frau und maid · sei sie auch wahr ·
So strahlen kann sie nur wenn ich so fehle!
Als man den hals mir in die schlinge steckte
Sah schadenfroh ich den triumf voraus:
Als sieger dring ich einst in euer hirn
Ich der verscharrte . . und in eurem samen
Wirk ich als held auf den man lieder singt
Als gott . . und eh ihrs euch versahet · biege
Ich diesen starren balken um zum rad.

DER MENSCH UND DER DRUD

DER MENSCH
Das enge bachbett sperrt ein wasserfall –
Doch wer hängt das behaarte bein herab
Von dieses felsens träufelnd fettem moos?
Aus buschig krausem kopfe lugt ein horn . .
So weit ich schon in waldgebirgen jagte
Traf ich doch seinesgleichen nie . . . Bleib still
Der weg ist dir verlegt · verbirg auch nichts!
Aus klarer welle schaut ein ziegenfuss.

DER DRUD
Nicht dich noch mich wird freun dass du mich fandst.

DER MENSCH
Ich wusste wol von dir verwandtem volk
Aus vorzeitlicher märe – nicht dass heut
So nutzlos hässlich ungetüm noch lebt.

DER DRUD
Wenn du den lezten meiner art vertriebst
Spähst du vergeblich aus nach edlem wild
Dir bleibt als beute nager und gewürm
Und wenn ins lezte dickicht du gebrochen
Vertrocknet bald dein nötigstes: der quell.

DER MENSCH
Du ein weit niedrer lehrst mich? Unser geist
Hat hyder riese drache greif erlegt
Den unfruchtbaren hochwald ausgerodet
Wo sümpfe standen wogt das ährenfeld

Im saftigen grün äst unser zahmes rind
Gehöfte städte blühn und helle gärten
Und forst ist noch genug für hirsch und reh –
Die schätze hoben wir von see und grund
Zum himmel rufen steine unsre siege . .
Was willst du überbleibsel grauser wildnis?
Das licht die ordnung folgen unsrer spur.

DER DRUD
Du bist nur mensch . . wo deine weisheit endet
Beginnt die unsre · du merkst erst den rand
Wo du gebüsst hast für den übertritt.
Wenn dein getreide reift dein vieh gedeiht
Die heiligen bäume öl und trauben geben
Wähnst du dies käme nur durch deine list.
Die erden die in dumpfer urnacht atmen
Verwesen nimmer · sind sie je gefügt
Zergehn sie wenn ein glied dem ring entfällt.
Zur rechten weile ist dein walten gut ·
Nun eil zurück! du hast den Drud gesehn.
Dein schlimmstes weisst du selbst nicht: wenn dein sinn
Der vieles kann in wolken sich verfängt
Das band zerrissen hat mit tier und scholle –
Ekel und lust getrieb und einerlei
Und staub und strahl und sterben und entstehn
Nicht mehr im gang der dinge fassen kann.

DER MENSCH
Wer sagt dir so? dies sei der götter sorge.

DER DRUD
Wir reden nie von ihnen · doch ihr toren
Meint dass sie selbst euch helfen. Unvermittelt
Sind sie euch nie genaht. Du wirst du stirbst –
Wess wahr geschöpf du bist erfährst du nie.

DER MENSCH
Bald ist kein raum mehr für dein zuchtlos spiel.

DER DRUD
Bald rufst du drinnen den du draussen schmähst.

DER MENSCH
Du giftiger unhold mit dem schiefen mund
Trotz deiner missgestalt bist du der unsren
Zu nah · sonst träfe jezt dich mein geschoss . .

DER DRUD
Das tier kennt nicht die scham der mensch nicht dank.
Mit allen künsten lernt ihr nie was euch
Am meisten frommt . . wir aber dienen still.
So hör nur dies: uns tilgend tilgt ihr euch.
Wo unsre zotte streift nur da kommt milch
Wo unser huf nicht hintritt wächst kein halm.
Wär nur dein geist am werk gewesen: längst
Wär euer schlag zerstört und all sein tun
Wär euer holz verdorrt und saatfeld brach . .
Nur durch den zauber bleibt das leben wach.

Welch ein kühn-leichter schritt
Wandert durchs eigenste reich
Des märchengartens der ahnin?

Welch einen weckruf jagt
Bläser mit silbernem horn
Ins schlummernde dickicht der Sage?

Welch ein heimlicher hauch
Schmiegt in die seele sich ein
Der jüngst-vergangenen schwermut?

DAS LIED

Es fuhr ein knecht hinaus zum wald
Sein bart war noch nicht flück
Er lief sich irr im wunderwald
Er kam nicht mehr zurück.

Das ganze dorf zog nach ihm aus
Vom früh- zum abendrot
Doch fand man nirgends seine spur
Da gab man ihn für tot.

So flossen sieben jahr dahin
Und eines morgens stand
Auf einmal wieder er vorm dorf
Und ging zum brunnenrand.

Sie fragten wer er wär und sahn
Ihm fremd ins angesicht ·
Der vater starb die mutter starb
Ein andrer kannt ihn nicht.

Vor tagen hab ich mich verirrt
Ich war im wunderwald
Dort kam ich recht zu einem fest
Doch heim trieb man mich bald.

Die leute tragen güldnes haar
Und eine haut wie schnee . .
So heissen sie dort sonn und mond
So berg und tal und see.

Da lachten all: in dieser früh
Ist er nicht weines voll.
Sie gaben ihm das vieh zur hut
Und sagten er ist toll.

So trieb er täglich in das feld
Und sass auf einem stein
Und sang bis in die tiefe nacht
Und niemand sorgte sein.

Nur kinder horchten seinem lied
Und sassen oft zur seit . .
Sie sangen's als er lang schon tot
Bis in die spätste zeit.

Horch was die dumpfe erde spricht:
Du frei wie vogel oder fisch –
Worin du hängst · das weisst du nicht.

Vielleicht entdeckt ein spätrer mund:
Du sassest mit an unsrem tisch
Du zehrtest mit von unsrem pfund.

Dir kam ein schön und neu gesicht
Doch zeit ward alt · heut lebt kein mann
Ob er je kommt das weisst du nicht

Der dies gesicht noch sehen kann.

SEELIED

Wenn an der kimm in sachtem fall
Eintaucht der feurig rote ball:
Dann halt ich auf der düne rast
Ob sich mir zeigt ein lieber gast.

Zu dieser stund ists öd daheim ·
Die blume welkt im salzigen feim.
Im lezten haus beim fremden weib
Tritt nie wer unter zum verbleib.

Mit gliedern blank mit augen klar
Kommt nun ein kind mit goldnem haar ·
Es tanzt und singt auf seiner bahn
Und schwindet hinterm grossen kahn.

Ich schau ihm vor · ich schau ihm nach
Wenn es auch niemals mit mir sprach
Und ich ihm nie ein wort gewusst:
Sein kurzer anblick bringt mir lust.

Mein herd ist gut · mein dach ist dicht ·
Doch eine freude wohnt dort nicht.
Die netze hab ich all geflickt
Und küch und kammer sind beschickt.

So sitz ich · wart ich auf dem strand
Die schläfe pocht in meiner hand:
Was hat mein ganzer tag gefrommt
Wenn heut das blonde kind nicht kommt.

DIE TÖRICHTE PILGERIN

Wo die strasse vom gebirg
Plötzlich sich zum strome kehrt
Felder bis zur kuppe ziehn
Wo mich einst die schwangre bat
Dass ich ihr die heu-last höbe:

Dort lag mit verwirrtem haar
Und in kümmerlichem rock
Wie vor müde hingestürzt
An dem wegrand eine maid –
Ich ging hin und half ihr auf . .

Dankend sprach sie und betrübt
Während sie die stirn sich strich:
Oft schon kam ich dir vorbei
Nur mein unglück dass ich fiel
Machte dass du auf mich schautest.

Nächstes mal wenn du mich triffst
Zeig ich mich in schmuckrem kleid . .
Freu ich dich auch so nicht sehr:
Wird dein blick doch auf mir ruhn
Weil du einst vom grund mich hobst.

DAS WORT

Wunder von ferne oder traum
Bracht ich an meines landes saum

Und harrte bis die graue norn
Den namen fand in ihrem born –

Drauf konnt ichs greifen dicht und stark
Nun blüht und glänzt es durch die mark . . .

Einst langt ich an nach guter fahrt
Mit einem kleinod reich und zart

Sie suchte lang und gab mir kund:
›So schläft hier nichts auf tiefem grund‹

Worauf es meiner hand entrann
Und nie mein land den schatz gewann . . .

So lernt ich traurig den verzicht:
Kein ding sei wo das wort gebricht.

In stillste ruh
Besonnenen tags
Bricht jäh ein blick
Der unerahnten schrecks
Die sichre seele stört

So wie auf höhn
Der feste stamm
Stolz reglos ragt
Und dann noch spät ein sturm
Ihn bis zum boden beugt:

So wie das meer
Mit gellem laut
Mit wildem prall
Noch einmal in die lang
Verlassne muschel stösst.

Du schlank und rein wie eine flamme
Du wie der morgen zart und licht
Du blühend reis vom edlen stamme
Du wie ein quell geheim und schlicht

Begleitest mich auf sonnigen matten
Umschauerst mich im abendrauch
Erleuchtest meinen weg im schatten
Du kühler wind du heisser hauch

Du bist mein wunsch und mein gedanke
Ich atme dich mit jeder luft
Ich schlürfe dich mit jedem tranke
Ich küsse dich mit jedem duft

Du blühend reis vom edlen stamme
Du wie ein quell geheim und schlicht
Du schlank und rein wie eine flamme
Du wie der morgen zart und licht.

NACHWORT

Als Stefan George am 4. Dezember 1933 starb, starb ein populärer Lyriker. Ein Jahr nach dem Tod des Dichters summierte sein Verleger Georg Bondi in seinen *Erinnerungen an Stefan George* die Höhe der Auflagen von Georges Büchern und gelangte zu staunenswerten Zahlen: Von keinem der Georgeschen Gedichtbände waren weniger als 10000 Exemplare gedruckt worden, und bei seinem erfolgreichsten Buch, dem *Jahr der Seele,* belief sich die Zahl sogar auf 31000 Exemplare. Selbst Georges Übersetzungen erreichten erstaunliche Auflagen: im Falle der Übertragungen von Dantes *Göttlicher Komödie* und Charles Baudelaires *Blumen des Bösen* jeweils über 14000 Exemplare. Seinen von den Freunden und Gegnern des Dichters lange erwarteten Kommentar zum Weltkrieg, das große Gedicht *Der Krieg,* veröffentlichte George im Jahre 1917 als Flugschrift in nicht weniger als 6600 Exemplaren: eine Zahl, von der die von George verachteten Expressionisten, die doch die geschichtliche Wandlung durch in Flugschriften massenhaft verbreitete Lyrik herbeizuführen ersehnten, allenfalls hätten träumen können. Am Ende seines Lebens scheint es auf dem Lyrikmarkt geradezu eine George-Überproduktion gegeben zu haben; jedenfalls fanden sich im Dezember 1932 in der *Literarischen Welt,* der wichtigsten Literaturzeitschrift der Weimarer Republik, verschiedentlich Anzeigen von Buchhandlungen, die Werke Georges in »verlagsneuen Bänden« zu stark herabgesetzten Preisen anboten. Das Werk des Dichters, der als Mann des exklusiven Privatdrucks begonnen hatte und von seinen zwischen 1890 und 1900 erschienenen ersten sechs Gedichtbüchern jeweils nur 100 bis 300 Exemplare hatte drucken

lassen, war damit zur literarischen Massenware und zum Ramschartikel des modernen Antiquariats geworden.
Allerdings besitzt der Zeitpunkt, zu dem diese Inserate erschienen, eine hohe geschichtliche Symptomatik. Während in den frühen Jahren von Georges Ruhm die Leser nach dessen Werken hatten suchen müssen, mußten nun, wenige Wochen vor der Machtergreifung Adolf Hitlers, die Werke nach Lesern suchen. Die Zeit Stefan Georges war zu Ende. Die Gesamtausgabe der Werke des Dichters wurde 1934, wenige Monate nach seinem Tod, mit dem Schlußband noch so planvoll zu Ende geführt, wie George sie 1927 mit dem ersten Band, *Die Fibel. Auswahl erster Verse* enthaltend, begonnen hatte – genau 100 Jahre nachdem der erste Band von Goethes Ausgabe letzter Hand erschienen war. Es sei, so Georg Bondi in seinen Erinnerungen, bei George alles planvoll gewesen, und so war auch diese historische Koinzidenz kein Zufall. Denn mit der Gesamtausgabe seiner Werke, die ein Jahrhundert nach der Goetheschen Gesamtausgabe zu erscheinen begann, meldete Stefan George, der im Jahre 1902 eine von ihm und Karl Wolfskehl besorgte Auswahl deutscher Gedichte des 19. Jahrhunderts unter dem Titel *Das Jahrhundert Goethes* hatte erscheinen lassen, seinen Anspruch darauf an, daß das 20. Jahrhundert sein Jahrhundert, das Jahrhundert Georges, werden solle.
Es ist anders gekommen. Fünf Jahre nach der Veröffentlichung von Georges letztem Gedichtband, *Das Neue Reich* (1928), brach das »Dritte Reich« Adolf Hitlers an und sorgte dafür, daß alle von Stefan George in die Zukunft gelegten Spuren abgeschnitten und getilgt wurden. Am Ende des »Dritten Reichs« waren die wenigen, die im Namen von Stefan Georges Geheimem Deutschland gegen Hitler Wi-

derstand geleistet hatten, wie Claus Schenk Graf von Stauffenberg und der Humanismusforscher Percy Gothein, tot, andere Mitglieder des Kreises, wie der Historiker Ernst Kantorowicz, waren ins Exil gegangen und hatten sich dort von der George-Orthodoxie abgewandt, während die vielen Verehrer Georges, die dessen Neues mit Hitlers »Drittem Reich« verwechselten, damit zugleich auch Georges Werk auf Dauer kompromittiert hatten, so daß nach 1945 das Bekenntnis zu George wieder zur Sache esoterischer Zirkel und des Privatdrucks wurde. Die junge Bundesrepublik, die den Anschluß an den von George verabscheuten technischen Fortschritt und den Liberalismus des Westens suchte, wußte mit dem Dichter ebensowenig anzufangen wie die DDR, für die dessen geistiger Aristokratismus und Ästhetizismus Manifestationen jener bürgerlichen Wertewelt waren, die sie auszulöschen trachtete; das allerdings hatte, aus freilich ganz anderen Gründen, auch George gewollt. So ist denn das zwanzigste Jahrhundert, das im Zeichen des politischen Totalitarismus stand, zum Jahrhundert Georges nicht geworden. Als Theodor W. Adorno am 23.4.1967 im Deutschlandfunk über George sprach, stellte er dessen Werk wie dasjenige eines Vergessenen vor, das »nicht nur aus dem öffentlichen Bewußtsein sondern aus dem literarischen in weitestem Maß verdrängt« worden sei: »Auf die Gewalt, mit der er den Zeitgenossen sein Bild eingraben wollte, antwortet eine nicht geringere des Vergessens: als triebe der mythische Wille seines Werkes, zu überleben, mythisch zu dessen eigenem Untergang.«

Um so bemerkenswerter ist dann freilich die Wiederentdeckung Stefan Georges nach der politischen Wende des Jahres 1989, dem Ende des Ost-West-Gegensatzes und der Erschütterung der ideologisch festgefahrenen Links-rechts-Codierungen. Seit dem letzten Jahrzehnt des zwanzigsten Jahrhunderts sind Werk und Wirkung Stefan Georges in den intellektuellen Debatten mit einer Plötzlichkeit wieder präsent, wie sie für die Wiederkehr des Verdrängten charakteristisch ist. Daß dabei die außerpoetischen Wirkungen Georges sehr viel größeres Interesse auf sich ziehen als das poetische Werk, auf dem diese Wirkungen beruhen, gehört zu den bezeichnenden Zügen in der geistigen Physiognomie dieses Lyrikers, der dem Begriff des Dichters in seiner eigenen Gestalt die höchste Aura zurückzugewinnen suchte.

Am Ende seines Lebens ließ George von seinen Jüngern über sich schreiben: »Man wird später die stillen strassen aufsuchen wo mit der morgensonne sich sein fenster öffnete · wo manchmal schon einer der jüngsten wartete · indessen rings die bürger schliefen. Und zahllose wege im weiten vaterland und ruhmlose orte werden nur gelten weil ER dort ging mit seinen drei · mit seinen sieben · mit seinen zehn getreuen.« (Johann Anton im Jahre 1928) Die Aura des Dichters war zur Aura eines säkularen Heilsbringers geworden, von dem ein universales Erlösungsversprechen ausging, das weit in den politischen Raum ausgriff: »Würde er auftreten als Borgia als Dschingis Khan als Bonaparte · eine ungeheure gefolgschaft knechtischer geister wäre ihm sicher.« Wer so über sich schreiben läßt, spielt tatsächlich mit dem Gedanken, ein Borgia, ein Dschingis Khan, ein Bonaparte sein und über eine »ungeheure Gefolgschaft knechtischer Geister« regieren zu können – um was zu tun? Die Gegner werden benannt: Es sind »die bürger«, die noch fest schlafen, indes der Träger des künftigen Heils schon unter ihnen wandelt. Für George reprä-

sentierten die Bürger alles, was er an der Moderne haßte und verachtete: die Kommerzialisierung, Mechanisierung, Verrechtlichung, Nivellierung, Abstraktheit aller Lebensverhältnisse, die universale Lebenszerstörung aus dem Geiste der Ökonomie. Das Erlösungswerk, von dem dieser weltliche Heilsbringer geträumt hat, war identisch mit der Schaffung einer geschichtlichen Tabula rasa, auf der es den Bürger nicht mehr gab und sich das Leben wieder frei entfalten konnte.
Stefan George ist kein Dschingis Khan geworden, und die Waffe, die er gegen das Bürgertum führte, blieb zeitlebens allein seine Lyrik. Es war dies eine durch das Jahrhundert Goethes geadelte Waffe; das von George geschmähte Bürgertum hat sie deshalb auch geliebt und seine Gedichte zum erfolgreichen Massenprodukt erhoben. Und doch waren seine Gedichte von solcher ästhetischen Beschaffenheit, daß nicht allein seine drei, sieben, zehn Getreuen in ihnen die Möglichkeit des Dichters zum Borgia und Bonaparte zu erkennen vermochten. Dem Dichter, der die literarische Öffentlichkeit durch seine auf Exklusivität zielenden Publikationsstrategien zunächst bewußt von seiner lyrischen Produktion auszuschließen schien, stand dabei doch immer das große Publikum als potentielle Leserschaft seiner Gedichte vor Augen. Denn von Anbeginn galt ihm die Poesie als das zentrale Medium der Lebenserneuerung in einer hochkomplexen Moderne. Der Sieg über den Bürger konnte aber nur dann erfochten werden, wenn der Dichter viele Leser fand. Der Dichter, der als jugendlicher Dandy und schönheitstrunkener Ästhet sich höhnisch vom Markt abgewandt hatte, um sich danach nie wieder der literarischen oder politischen Öffentlichkeit preiszugeben, behielt diese dennoch unbeirrt im Blick, weil er seiner Poesie

eine besonders große, nein, die größte Wirkung zugedachte: diejenige, das Leben aus den Verirrungen der Moderne zu befreien und fundamental zu erneuern. In seinem Vertrauen auf die lebensverändernde Kraft des autonomen Gedichts blieb George zeitlebens ein Erbe der deutschen Klassik. In seiner Publikationspolitik, seiner Medienstrategie, seiner Selbstinszenierung gegenüber der zu gewinnenden Öffentlichkeit hingegen handelte er durch und durch modern. Noch sein Beharren darauf, jede Publikation aus seinem Kreis mit dem Zeichen der *Blätter für die Kunst*, der exklusiven Zeitschrift seines Kreises, zu versehen, gehorchte der Logik der Warenästhetik, die auf den Distinktionsgewinn durch ein Logo setzt, das auch dem Massenartikel Exklusivität zertifiziert. Es besagt, daß nur solche Lyrik das Leben zu befreien und zu erneuern vermag, die dieses Zeichen trägt.

Keiner der großen Dichter der Jahrhundertwende – weder Rilke noch Hofmannsthal oder Borchardt – war so ganz und ausschließlich Lyriker wie Stefan George. Dabei war ihm das Interesse fürs Theater in seinen jungen Jahren keineswegs fremd; immerhin gehörte er zu den Gründungsmitgliedern von Otto Brahms Verein »Freie Bühne«, der ein Zentrum der naturalistischen Bewegung bildete, und er hat sogar 1889 die Premiere von Gerhart Hauptmanns *Vor Sonnenaufgang* besucht. Georges eigene Versuche auf dem Gebiet des Dramas, auch die erhaltenen Bruchstücke von Ibsen-Übersetzungen, datieren in die Schuljahre zurück. Die wenigen kurzen Prosastücke des Dichters versammelt der 17. Band der Gesamtausgabe unter dem Titel *Tage und Taten* auf knapp 100 Seiten, und es ist keineswegs ein Zufall, daß zu den eindrucksvollsten Stücken des schmalen Bandes Traumaufzeichnungen zählen. Es war George nicht

gegeben, im objektivierenden Duktus der Prosaerzählung oder des Dramas Gestalten zu entwerfen, die ein von ihrem Schöpfer unabhängiges Dasein führen. Georges Dichten ist durchaus monologisch, und wer in seiner Festlegung auf die Lyrik den Ausdruck einer narzißtischen Persönlichkeitsstruktur sehen will, liegt damit gewiß nicht falsch. Zwar hat er sich in seinen Gedichten oft in höchst verschiedene Rollen begeben, und auch lyrische Dialoge und szenische Gedichte mit Rede und Gegenrede begegnen nicht selten in seinen Büchern. Aber all diese Rollenfigurationen bleiben doch immer transparent auf die Person des Dichters selbst. Deren Aufspaltung in eine multiple Rollenidentität verweist zurück auf ein singuläres Dichter-Ich, das sich davon, daß es aus verschiedenen Rollen sprach, eine Steigerung des Objektivitätsanspruchs seiner Gedichte und ihrer Botschaft versprach. Alle dichterische Rede bei George ist Monolog, und noch dort, wo sie sich zum Dialog zerteilt, ist dies eine Form des Selbstgesprächs und der Selbstaussprache. Die Lyrik war für ihn der Inbegriff aller Poesie, das Gedicht die höchste Form menschlicher Rede, der Dichter eine absolut aus seiner Nation als deren befugter Sprecher herausgehobene Gestalt, das Leben in und mit Poesie das wahre und wirkliche Leben. Als Hugo von Hofmannsthal ihm im Jahre 1896 einen seiner Freunde mit der Bemerkung empfahl, dieser gehöre »völlig dem Leben an, keiner Kunst«, mußte George dies, wie er in seinem Antwortbrief schrieb, »fast als lästerung« auffassen: »wer gar keiner kunst angehört darf sich der überhaupt rühmen dem leben anzugehören? Wie? höchstens in halb-barbarischen zeitläuften.«
Georges Leben gehörte ganz der Kunst an; in einem äußeren Sinne ist sein Leben deshalb auch nahezu ereignis-

los verlaufen und seine Biographie identisch mit der Erscheinungsfolge seiner Gedichtbände. Geboren wurde er am 12. Juli 1868 in Büdesheim bei Bingen, wo sein Vater Stephan George eine Gastwirtschaft betrieb. Im Jahre 1873 zog die Familie nach Bingen; der Vater widmete sich fortan dem Weinhandel. George wuchs in einem gutbürgerlichen Milieu auf, dessen geistige Prägung nicht zuletzt von der streng katholischen Mutter bestimmt wurde; Georges Gedichte halten mit ihrer Nähe zum religiösen Ritual manche Erinnerung daran fest. An die Realschule in Bingen schloß sich 1882 das humanistische Gymnasium in Darmstadt an; hier erwarb George 1888 das Reifezeugnis. In die Schulzeit fallen die ersten Gedichte; einige von diesen noch ganz uneigenständigen Versuchen hat er in die Schülerzeitschrift *Rosen und Disteln* gegeben, deren Mitherausgeber er war. Auf das Abitur folgte eine Zeit ausgedehnter Reisen – London, Montreux, Mailand, Paris, dann Spanien, wieder Paris, Kopenhagen, Venedig, Wien, noch einmal London, erneut Paris und Wien: dies alles vom Mai 1888 bis zum Dezember 1891, unterbrochen von den drei Semestern eines lustlos betriebenen Philologiestudiums an der Universität Berlin, das George im März 1891 endgültig abbrach. An die Stelle einer großen Bildungsreise mit anschließendem Studium, das zielsicher in eine gehobene bürgerliche Existenz hätte führen sollen, war damit eine plan- und richtungslose geistige Suchbewegung getreten, an deren Ende der Bruch mit jedem bürgerlichen Lebensentwurf stand. Er ging einher mit dem Entschluß Georges, sein Leben ganz und ausschließlich der Dichtung zu widmen. Von entscheidender Bedeutung war hier sicherlich, daß ihn im Frühsommer 1889 der Dichter Albert Saint-Paul in Paris in den Kreis um Stéphane Mallarmé eingeführt

und mit den jungen französischen Symbolisten bekannt gemacht hatte.
Der so gewonnene Anschluß an die avancierteste ästhetische Moderne ließ George jene produktive Distanz zu allen zeitgenössischen literarischen Strömungen in Deutschland – zur erschöpften klassisch-romantischen Tradition nicht anders als zum rasch zur dominanten Modeströmung sich ausbildenden Naturalismus – gewinnen, die ihm die Festlegung seiner eigenen dichterischen Position ermöglichte. Denn seine Bewunderung für Mallarmé, die George niemals abgelegt hat, ließ ihn dessen Werk doch weder in thematischer noch in formaler Hinsicht nachahmen; die wenigen motivischen Anklänge, die in Georges Gedichten an Mallarmé erinnern, gehen über Äußerliches kaum hinaus. Was George bei Mallarmé und dessen Kreis hingegen gelernt hat, war das Ethos der Handwerklichkeit, die formale Strenge, jene sprachliche Verdichtung und formale Konzentration, die seine Dichtung vom ersten veröffentlichten Band an auszeichnen. Es ist ein durch die Strenge der künstlerischen Form beglaubigter Ästhetizismus, der die Kunst von allen äußeren Zwecken befreit und sie allein ihren eigenen inneren Gesetzen unterworfen sieht: ein Bekenntnis zum l'art pour l'art also, mit dem sich der Künstler und sein Werk, einzig durch die Kraft der Form, in eine kritische Gegenspannung zu allen sozialen und kulturellen Tendenzen der Epoche stellen. Wie bei Mallarmé tritt damit bei George das absolute Gedicht in einen unversöhnlichen Gegensatz zur Gesellschaft. Im Ästhetizismus des Künstlers – im mit Monokel, Zylinder und weißem Schal inszenierten Dandytum des jungen George – wird das Prinzip der Kunstautonomie zur Lebenshaltung gesteigert; deshalb konnte George auch zu Kurt Breysig sagen,

Mallarmé und Paul Verlaine hätten ihn nicht in seinem Verhältnis zur Sprache beeinflußt, »wohl aber auf das tiefste in der Gebärde des Lebens, die dann in ihm wieder Kunst geworden sei«. Die Autonomie des formal durchgebildeten Gedichts und der Ästhetizismus des Künstlers werden damit von George als aufeinander bezogene Formen der Lebensgestaltung bestimmt – in dem Sinne, wie er es Hofmannsthal gegenüber hervorgehoben hatte: daß nur, wer einer Kunst angehöre, mit dem Leben verbunden sei –, was aber immer zugleich eine kritische Distanz des Künstlers und seines Werks zu ihrer Zeit, die das Leben vergewaltige, impliziert. Es ist für George die Kunst, die das Leben in der es verstümmelnden Moderne zu sich selbst befreit. Insofern ist die »Gebärde« des zur Kunst gewordenen Lebens in seinem Werk von Anbeginn der Gestus der ästhetischen Opposition. Dies erklärt, weshalb derselbe Dichter, dessen Anfänge im Zeichen einer »kunst für die kunst« (wie es 1892 programmatisch im ersten Heft der *Blätter für die Kunst* heißt) standen, sich nach der Jahrhundertwende zum Führer, Lehrer, Prophet eines platonischen »Staates« aus jungen Gefolgsleuten wandeln konnte, der tiefgreifende Wirkungen in Politik, Wissenschaft und Kultur seiner Nation für sich beanspruchte – und sie dann auch erzielte.
So hat bei der Ausbildung »der neuen fühlweise und mache« (wie es ebenfalls im ersten Heft der *Blätter für die Kunst* heißt) das Vorbild Mallarmés und der französischen Symbolisten George wichtige Anregungen gegeben. Für die Gewinnung seiner eigenen Dichtersprache war aber ein anderer Einfluß von sehr viel größerer Bedeutung: derjenige von Charles Baudelaires *Fleurs du mal*. Der Grad der Zerfallenheit des jungen George mit Sprache und Wirklichkeit seiner Zeit, dem Wilhelminischen Kaiserreich,

gibt sich auf radikale Weise in den Sprachexperimenten zu erkennen, die aus seinen Schuljahren bezeugt sind. Sein dichterisches Ausdrucksverlangen verschmähte die eigene Muttersprache und drängte hin auf die Schaffung einer künstlichen Sprache, die es ihm erlaubt hätte, eine aus der eigenen Sprachphantasie erschaffene Wirklichkeit der Realität, wie sie war, entgegenzusetzen; Spuren davon sind in den Schlußversen des Gedichts *Ursprünge* im *Siebenten Ring* erhalten. Noch die 1889 entstandenen *Zeichnungen in Grau* in der *Fibel* wurden zuerst in »einer eigenen dem spanischen angeähnelten lingua romana« verfaßt. In diesen juvenilen Experimenten mit einer absoluten Dichtersprache bereitete sich die Hinwendung zum absoluten Gedicht im Sinne Mallarmés vor, das den Bruch mit der außerkünstlerischen Wirklichkeit vollzieht. An die Stelle des radikalen Verwerfungsgestus, mit dem George in Schülerjahren auf der Suche nach einem Dichteridiom einer künstlichen den Vorzug vor der Muttersprache gegeben hatte, trat zeitweise die Überlegung, statt in deutscher in französischer Sprache zu dichten. Diese Suche nach einer neuen Dichtersprache war beim jungen George Ausdruck seiner ästhetischen Fundamentalopposition zur politischen und kulturellen Wirklichkeit des Kaiserreichs, in dessen Sprache zu dichten ihm kaum noch möglich erschien. Im Gespräch mit Ernst Robert Curtius hat George im Jahre 1911 seine geistige Verfassung in den Jahren 1889/90 so beschrieben: »In Deutschland wars damals nicht auszuhalten; denken Sie an Nietzsche! Ich hätte eine Bombe geworfen, wenn man mich hier festgehalten hätte; oder ich wäre wie Nietzsche zugrunde gegangen. Mein Vater war froh, daß er mich los war, denn er ahnte die Gefahr.« Es war dies die geistige Situation, in der sich Georges Begegnung mit den *Fleurs du mal* vollzog; statt Bomben zu werfen, hat er Charles Baudelaire übersetzt. Und es war die Übersetzung Baudelaires, womit er sich die Muttersprache als erneuerte Dichtungssprache, als Ausdrucksmedium einer neuen Kunst, erschloß.

George hat mit der Übertragung der *Fleurs du mal* während des ersten Pariser Aufenthalts, vom März bis zum August 1889, begonnen. Der Dichter hat die herausragende Bedeutung, die seinen »Umdichtungen« Baudelaires im Prozeß der Ausbildung seiner eigenen Dichtersprache zukam, in der Vorrede zur ersten Ausgabe der *Blumen des Bösen* (1901) deutlich hervorgehoben: Sie verdanke »ihre entstehung nicht dem wunsche einen fremdländischen verfasser einzuführen sondern der ursprünglichen reinen freude am formen«. Er bewertete sie also als eine eigenständige dichterische Leistung – »weniger eine getreue nachbildung als ein deutsches denkmal« –, mit deren Hilfe er seine formalen Ausdrucksmittel und sprachlichen Möglichkeiten erweiterte und so die epigonale Misere, von der noch die Gedichte der *Fibel* gekennzeichnet sind, überwand. Baudelaire war der wichtigste künstlerische Lehrmeister Georges – und dies nicht nur in formaler und sprachlicher Hinsicht. Viele Grundmotive von Georges geistiger Existenz – seine Verachtung des bürgerlichen Fortschrittsoptimismus, die Verwerfung des modernen Technizismus, der Nivellierung und Kommerzialisierung des Lebens, die Etablierung des Künstlers als Außenseiter, als Dandy, als poète maudit – sind ja bei Baudelaire vorgebildet, und daß er seinen Baudelaireschen Ursprüngen nie vollständig abgeschworen hat, ist bis in seinen letzten Gedichtband *Das Neue Reich* hinein greifbar, wo der Dichter in dem Gedicht *Der Gehenkte* sich ein letztes Mal in die Position des Verbrechers und sozialen Außenseiters begibt und aus ihr den Charakter der bürgerlichen Gesellschaft als einer Welt des universalisierten Frevels und der camouflierten Immoralität enthüllt. So konnte der anarchistische Wunsch, Bomben zu werfen, in der Übertragung der *Fleurs du mal* aufgehoben werden. Allerdings hat George Baudelaires Position einer absoluten Negativität später in seinem eigenen Dichten nicht durchzuhalten vermocht.

Die formal und sprachlich noch ganz unoriginellen Gedichte der *Fibel* oszillieren in ihren Tönen, Farben und Themen zwischen spätromantischen und spätepigonalen Anklängen, zwischen Eichendorff und Geibel, und geben mit ihrer schwül-gefühligen Eingängigkeit und ihren sentimentalen Sehnsuchtsfiguren einen Eindruck von der poetischen Stickluft, aus der es George herausverlangte. Als »ungestalte puppen aus denen später die falter leuchtender gesänge fliegen« hat er 1901, in der Vorrede zur ersten Ausgabe der *Fibel*, diese Gedichte charakterisiert. Aber schon die 1889 entstandenen *Zeichnungen in Grau* (alle neun unter diesem Titel versammelten Gedichte sind in die vorliegende Auswahl aufgenommen worden) am Ende des Bandes geben den Einfluß Baudelaires zu erkennen: mit ihrem ästhetischen Immoralismus, der Faszination des Häßlichen, den Reizen des Exotismus, der von Leidenschaften durchtränkten Atmosphäre. Diese Verse sind freilich noch reimlos, sprachlich von Prosa kaum unterschieden und weisen nicht jene sprachliche und formale Verdichtung auf, die George im Zuge der Baudelaire-Übertragungen zu seinem künstlerischen Stilideal erhob. Ein Vergleich des lyrischen Parlando der *Zeichnungen in Grau* mit den formal durchgestalteten *Bildern* in den *Hymnen* führt den Unterschied unmittelbar vor Augen; sie verhalten sich zueinan-

der wie lyrische Skizzen zum durchgebildeten Kunstwerk, das sich hermetisch von der außerkünstlerischen Wirklichkeit abgrenzt (und, im Falle von *Ein Angelico*, die Trennung von Kunst und Leben auch dadurch akzentuiert, daß es den Entstehungsprozeß des Kunstwerks nachzeichnet).
Im Winter 1890 ließ Stefan George in Berlin unter dem Titel *Hymnen* seine erste Gedichtsammlung erscheinen: 18 im Jahre 1890 entstandene Gedichte, gedruckt in 100 Exemplaren ohne jeden ornamentalen Schmuck in der Antiqua einer kristallklaren Moderne. Daß der Band nur als Geschenk für Freunde und Gönner gedruckt worden sei – tatsächlich wurde er auch in Berlin, München und Darmstadt in Buchhandlungen verkauft –, hat George in der Vorrede zur 1898 ausgelieferten öffentlichen Ausgabe damit begründet, daß er so »der rücksicht auf die lesende menge enthoben« wurde; allerdings waren damals Privatdrucke junger Lyriker durchaus üblich. Ungewöhnlich waren aber der hohe Ton und die Stilhaltung dieser Verse, deren Feierlichkeit und thematischer Ernst den großen Anspruch des Titels rechtfertigten. Sie erfahren ihre Begründung durch die einleitende *Weihe*: Es ist die Weihe zu einem neuen Dichtertum, das fern vom Rationalismus der modernen Kultur (»ohne denkerstörung«) in äußerster Nähe zum Lebensstrom (»Hinaus zum strom!«) eine göttliche Inspiration empfängt, die noch dem Musenkuß nachgebildet wird. Schon hier wird der hohe Anspruch dieses »reinen« und »geheiligten« Dichtertums evoziert: »und raum und dasein bleiben nur im bilde«, also in der Kunst. Die Einsamkeit einer derart aus der menschlichen Alltäglichkeit herausgehobenen Dichterexistenz, der sich aller fließende Lebensstoff zu erlesenen Bildern kristallisiert, vergegenwärtigt George bereits in den *Hymnen* in Park- und Gartensze-

nerien, wie sie sein gesamtes Werk durchziehen. Der von der städtischen Zivilisation abgegrenzte Park ist Kunst gewordene Natur und damit der symbolische Lebensort des Dichters, der, unberührt von der »lockung« einer kunstfremden Wirklichkeit, einzig seinem Werke lebt: »Er hat den griffel der sich sträubt zu führen.« Am Ende des Bandes verläßt das Dichter-Ich als »Pilger mit der hand am stabe« die Gärten der Kunst und begibt sich ins Leben zurück, um sich neue Wirklichkeitsbereiche zu erschließen. Die Sakralisierung der Kunst zur höchsten Norm wird damit nicht zurückgenommen, im Gegenteil: Der »Pilger«, zum Dichter geweiht von der Kunst, konfrontiert die Wirklichkeit mit seinem absoluten Kunstanspruch.

Das letzte Gedicht der *Hymnen* leitet so zu den *Pilgerfahrten* über, gedruckt im Dezember 1891 mit Wien als Erscheinungsort, wiederum in 100 Abzügen. Die 21 sämtlich im Jahre 1891 entstandenen Gedichte sprechen nicht zuletzt von der Sehnsucht des einsamen Dichter-Ich nach seiner Ergänzung durch ein Du, aber dieses Du ist in den Gedichten so schattenhaft unbestimmt, daß es wie eine Spiegelfigur des Ich selbst erscheint. So bleibt denn die Suche ohne Erfolg und die Sehnsucht unerfüllt, so daß das Ich zurückgeworfen wird in die Einsamkeit des Traums und die Exklusivität einer ästhetischen Existenz, in der das Leid durch die Kunst bewältigt werden soll: »Suche und trage / Und über das leid / Siege das lied!« Deshalb schließen die *Pilgerfahrten* mit einem erneuerten Bekenntnis zur absoluten Kunst. In dem Gedicht *Die Spange* vergegenständlicht sich das »Ich« – das erste Wort des Gedichts – mit seinen Wünschen und Sehnsüchten in der Erlesenheitsfigur eines Kunstobjekts von bisher ungekanntem (»fremdem«) Reiz, die Emotion (»feuer«) erstarrt in Form und Ornament,

das Leben kristallisiert sich in Kunst: »Wie eine grosse fremde dolde / Geformt aus feuerrotem golde / Und reichem blitzendem gestein«.
Mit größter Konsequenz führt von hier Georges Weg in die hermetischen Kunstwelten des *Algabal* mit seinen kristallin verkohlten Schattenreichen der Kunst: 22 in der zweiten Hälfte des Jahres 1891 entstandene Gedichte, mit denen George seinen Ästhetizismus an eine äußerste Grenze führt. Es ist dies die erste zyklische Dichtung in Georges Werk; die einzelnen Gedichte weisen über sich hinaus auf ein durchgebildetes Ganzes, das die Gegenbildlichkeit der Kunst zur Wirklichkeit noch einmal in höherer Potenz stabilisiert. Die Zyklusbildung steht damit in formaler Korrespondenz zur Bedeutungsebene des *Algabal*, die eine artifizielle Gegenwelt von vollkommener Geschlossenheit evoziert. Über sie regiert mit grenzenloser Machtfülle und stupender Inhumanität ein jugendlicher Kaiser, dessen antikes Vorbild der im europäischen Symbolismus hochbeliebte römische Soldatenkaiser Elagabalus (204-222) war, der den Sonnengott Elagabal zum höchsten Staatsgott erhoben hatte. Aber natürlich weist die Figur das Algabal, in der Kaiser, Gott und Künstler identisch geworden sind, über ihr antikes Vorbild hinaus, wie schon die Tatsache zeigt, daß der Band dem Gedächtnis des bayerischen Königs Ludwig II. gewidmet ist. Wie dieser sich vor der Machtpolitik des hochtechnisierten und hochgerüsteten Bismarckschen Kaiserreichs in die künstlichen Paradiese seiner einsamen alpinen Schlösserwelt zurückgezogen hatte, bis ihn der eigene Schönheitskult auslöschte, so regiert Algabal über die künstlichen Paradiese eines Unterreichs, in dem noch die grausamste Gebärde zum künstlerischen Ornament erstarrt. Es ist dies eine Welt von prunkender

Sterilität und tödlicher Unfruchtbarkeit: Schreckbild eines absoluten Künstlertums, das aus dem Garten der Kunst die Bewegung der Geschichte und die Wärme des Lebens so konsequent verbannt (»Mein garten bedarf nicht luft und nicht wärme«), daß die artistische Autarkie des l'art pour l'art in die Selbstgenügsamkeit des Kunstgewerbes umzuschlagen droht. So erprobt Georges *Algabal* dichterisch die Extreme der ästhetischen Lebensform und erweist damit zugleich deren Gefährdungen. Allerdings war hiermit ein Punkt erreicht, jenseits dessen die künstlerische Erstarrung drohte, wie George genau spürte: »denn was ich nach Halgabal noch schreiben soll ist mir unfasslich«, so schrieb er am 9.1.1892 an Hugo von Hofmannsthal.

George war im Dezember 1891, nach Abschluß des *Algabal,* nach Wien gereist und hatte dort die Freundschaft des damals erst 17jährigen Hofmannsthal gesucht, den er als wichtigsten Bundesgenossen für die Erneuerung der deutschsprachigen Literatur im Geiste des Symbolismus zu gewinnen hoffte. Hofmannsthal war zwar einerseits von Georges künstlerischer Unbedingtheit fasziniert, andererseits jedoch durch dessen verführerische Werbung (und deren homoerotische Dimension) so verstört, daß er sich ihr schroff entzog. Für George hätte Hofmannsthal der »zwillingsbruder« sein sollen, der ihn, wie er ihm im Januar 1892 schrieb, aus der nach dem Abschluß des *Algabal* drohenden »grossen seelischen krise« hätte führen sollen. Hofmannsthal konnte und wollte diese ihm zugedachte Rolle nicht erfüllen, und so ist es denn zu der »sehr heilsamen diktatur«, die George mit Hofmannsthal über die deutsche Literatur hatte ausüben wollen – als Neuauflage des Goethe-Schiller-Bündnisses –, nicht gekommen,

wie George noch im Mai 1902 bedauernd an Hofmannsthal schrieb.
Statt dessen gründete George, um die Basis seiner Wirkungen im Sinne seines künstlerischen Programms zu verbreitern, im Jahre 1892 die *Blätter für die Kunst*: eine Zeitschrift »streng exclusiven charakters«, deren Mitarbeiter sich auf »einige uns ganz intime gefährten und gefährtinnen« beschränken sollten, wie Georges Freund Carl August Klein an Hofmannsthal schrieb. Die *Blätter für die Kunst* erschienen, formell herausgegeben von Klein, in zwölf Folgen vom Oktober 1892 bis zum Dezember 1919. Sie waren gedacht als Organ für »die *geistige kunst* auf grund der neuen fühlweise und mache – eine kunst für die kunst«, aus dem »alles staatliche und gesellschaftliche« ausgeschlossen sein sollte. Hofmannsthal hat manche seiner bedeutendsten Gedichte in den *Blättern* erscheinen lassen (zum endgültigen Bruch mit George kam es erst im Jahre 1906). Um die *Blätter* etablierte sich ein Georgescher Freundeskreis, in dem der Dichter zunächst als Primus inter pares auftrat. Dennoch wurden die *Blätter* schon bald zum Medium einer künstlerischen George-Orthodoxie; es bildeten sich Formen von Epigonalität aus, wie sie George selbst in seinem Werk gerade überwunden hatte, und es ist auch in diesen künstlerischen Epigonalitätsstrukturen begründet, daß der egalitäre Kreis der *Blätter*-Beiträger um 1900 eine hierarchisch-vertikale Ausrichtung gewann: mit George als »Meister« und einer Gefolgschaft getreuer Jünger.
George selbst hat die künstlerische Stagnation, in die er mit Abschluß des *Algabal* geraten war, erst im Winter 1892/93 überwinden können. Ausgelöst wurde die damals einsetzende reiche lyrische Produktion durch die schwärmerische

Begegnung des 24jährigen George mit der jungen Ida Coblenz, der späteren Frau Richard Dehmels. Ob es Freundschaft, ob es Liebe war, die den homosexuellen Dichter mit der jungen Frau verband, läßt sich heute nicht mehr entscheiden; auf jeden Fall war das Verhältnis Georges zu dieser einzigen Seelenfreundin in seiner erotischen Biographie von jenem Verhältnis aus Nähe und Distanz gekennzeichnet, das ihr in einem entscheidenden Augenblick seines Lebens die Rolle der Muse zu spielen erlaubte. So haben denn die nächsten beiden Gedichtbücher Georges ihren gemeinsamen Ursprung in diesem Winter. Es beginnt die Arbeit an den *Büchern der Hirten- und Preisgedichte der Sagen und Sänge und der hängenden Gärten*, und es entsteht zugleich der Zyklus *Waller im Schnee* mit seiner fast unverstellten Ich-Aussprache, der erst im *Jahr der Seele* erscheinen wird. Die *Bücher der Hirten- und Preisgedichte der Sagen und Sänge und der hängenden Gärten*, erschienen 1895 in 200 Exemplaren, stehen im Zeichen einer neuen dichterischen Erprobung Georges: staunenswert der Formenreichtum des Bandes, beeindruckend auch – zumal nach der am Rande des ästhetizistischen Kältetods stehenden *Algabal*-Ornamentik – die Variabilität der lyrischen Sprechweisen. George sprengt hier die Enge der artistischen Gegenwelt des *Algabal*, indem er seinen Imaginationsraum auf »unsre drei grossen bildungswelten« öffnet: Antike, Mittelalter und Orient; ihnen gelten die drei Zyklen des Bandes, die eine Vielzahl von dichterischen Ausdrucksformen erproben: von den nichtstrophischen Gebilden des *Buchs der Hirten- und Preisgedichte* über die Lieder des fahrenden Spielmanns – unausmeßlich ist die Distanz zwischen der kunstvollen Schlichtheit des »lieds des zwergen« und der prunkvoll ausgestellten Artistik des

Algabal – bis hin zur formalen Vielfalt des *Buchs der hängenden Gärten.* Georges Freund Melchior Lechter, der seit dem *Jahr der Seele* seine Bücher künstlerisch gestaltet hat, rühmte am *Buch der hängenden Gärten,* daß sich in ihm »der farbige Klang und die klingende Farbe zu erstaunlich raffinierter Modernität« gesteigert haben. Wenn Arnold Schönberg das *Buch der hängenden Gärten* vertont hat, dann um dieser raffinierten Modernität willen.
Anfang September 1895 schrieb George an die »verehrte freundin« Ida Auerbach, wie nun nach ihrer Eheschließung Ida Coblenz hieß: »Ich stehe wieder an einem wendepunkt und blicke auf ein ganzes leben zurück das wie ich fühle von einem ganz anderen abgelöst wird. Ich möchte es mit der herausgabe meiner bücher schliessen.« Georges letztes Buch vor dem Anbruch des »ganz anderen« Lebens sollte *Das Jahr der Seele* sein. Tatsächlich schließt *Das Jahr der Seele,* erschienen 1897 erstmals in Melchior Lechters sakralisierendem Ausstattungsprunk in 206 Exemplaren, Georges Frühwerk ab. Es ist nach seiner ersten öffentlichen Ausgabe (1899) Georges populärstes Gedichtbuch geworden. Der den Band eröffnende Jahreszeitenzyklus (Herbst, Winter, Sommer) mit seinen Spiegelungen einer differenzierten Gefühlswelt in der Natur mochte wie der abschließende Zyklus der *Traurigen Tänze* mit seiner vielfältig gebrochenen und variantenreich abschattierten Melancholie noch am ehesten in Georges Frühwerk einem traditionellen Lyrikverständnis entsprechen. Auch setzt sich die Tendenz zur formalen Vereinfachung, die sich schon in dem vorangegangenen Band abgezeichnet hatte, im *Jahr der Seele* fort. Dennoch hat das Buch mit überlieferten Konzepten von Erlebnislyrik nichts zu tun. Die Rückkehr aus dem Erfahrungsraum der geschichtlichen Bildungswelten

in die inneren Bezirke der Seele setzte für George ein Äußerstes an formaler Bewältigung voraus. In der kunstvollen Schlichtheit der Form findet das liebende, entsagende, trauernde Ich das Medium zu seiner dichterischen Selbstverständigung. Die Natur ist nie Anlaß oder Ereignisraum eines Erlebnisses, sondern immer nur symbolischer Spiegel und bildliche Entsprechung eines Seelenzustands. Sie wird zum seelischen Innenraum, in dem sich die Seele mit sich selbst verständigt. George hat deshalb auch in der Vorrede zur öffentlichen Ausgabe darauf insistiert, daß jede Form der lebensgeschichtlichen Identifikation von den Gedichten zugrunde liegenden Erlebnisstoffen deren Gehalt verfehlt; durch die Kraft der künstlerischen Form hat sich jedes »menschliche oder landschaftliche urbild« in Seelensubstanz verwandelt, und in diesem Sinne sind »in diesem buch ich und du die selbe seele«. Das geliebte Du hat in diesen Gedichten seine Existenz allein noch in der Seele des liebenden Ich, und so hält denn dies einsame Ich auch in der Ansprache an das Du in ihnen Zwiesprache mit sich selbst. Die zum seelischen Innenraum gewordene Natur erscheint deshalb auch in diesen Gedichten bevorzugt als Garten, so schon auf nahezu programmatische Weise in dem berühmten Eröffnungsgedicht »Komm in den totgesagten park und schau«. Wie die Natur sich im poetischen Schaffensakt in Kunst verwandelt, führen diese Verse symbolisch im Prozeß des herbstlichen Kranzflechtens vor Augen, der dem spätzeitlichen Verfall im »totgesagten park« – ein Bild für die Situation der Kunst um 1900 – eine neue künstlerische Gestaltwerdung entgegensetzt.

Die *Traurigen Tänze* bezeichnen einen bisher ungekannten Grad an formaler Vereinheitlichung in Georges Werk: 32 Gedichte mit jeweils drei Strophen, die immer vier Verse

umfassen. Innerhalb dieses Grundmusters variiert George in Rhythmus und Verslänge und durch thematische Umakzentuierungen, so daß trotz der Einheitlichkeit des Grundthemas – Trauer und Entsagung – der Zyklus von einer tänzerischen Bewegtheit geprägt erscheint, die die Schwere des Schmerzes durch künstlerische Schwerelosigkeit auszugleichen sucht. So wird auf meisterhafte Weise formale Geschlossenheit erreicht – als künstlerische Gestalt einer Seele, die ihren Schmerz durch Form bewältigt – und zugleich Monotonie vermieden, denn diese Seele erfährt ihr Leid in jeder Situation neu und anders.
Der lebensgeschichtliche »wendepunkt«, von dem George in seinem Brief an Ida Auerbach gesprochen hatte, betraf nicht zuletzt sein Verhältnis zur Öffentlichkeit. Der Ruf Georges war bis dahin über exklusive Kreise kaum hinausgedrungen, sein Werk nur in wenigen Händen, seine Wirkung auf die schmale Basis des Bezieherkreises der *Blätter für die Kunst* gestellt. Aber seit dem Erscheinungsjahr des *Jahrs der Seele* drang mehr und mehr vom esoterischen Ruhm dieses Dichters an eine Öffentlichkeit, deren Neugier auf ihn durch den intransigent beibehaltenen Gestus auratischer Unnahbarkeit nur noch gesteigert wurde. Vorträge angesehener Gelehrter über George und den *Blätter*-Kreis, erste Besprechungen in den Feuilletons, sorgfältig geplante Lesungen vor handverlesenem Publikum, eine Medienpolitik, bei der fotografische Porträts des Dichters eine herausragende Rolle spielten: all dies waren Elemente einer Wirkungsstrategie Georges, in der die Inszenierung von Exklusivität geradezu zum Medium der Breitenwirkung werden sollte. Die Entscheidung, sein bisher in Privatdrukken eher verschlossenes als zugängliches Werk nun auch in öffentlichen Ausgaben drucken zu lassen, traf George

in seinem dreißigsten Jahr. In Georg Bondi hatte er 1898 den Verleger seines Vertrauens gefunden. Seit November 1898 kamen in dessen Berliner Verlag Georges erste drei Bücher – *Hymnen Pilgerfahrten Algabal, Die Bücher der Hirten- und Preisgedichte der Sagen und Sänge und der hängenden Gärten* und *Das Jahr der Seele* – in rascher Folge heraus, um nach der Jahrhundertwende viele Auflagen zu erleben. Der esoterische Ruhm Georges war damit, sorgfältig vorbereitet, zum öffentlichen Ruhm eines Dichters geworden, der durch die Höhe seines Anspruchs an Form und Gehalt des Gedichts die Vorstellungen einer breiten gebildeten Öffentlichkeit davon, was ein Gedicht sei, für lange Zeit zu definieren vermochte. In den ersten beiden Jahrzehnten des 20. Jahrhunderts hat es wohl keinen großen deutschen Lyriker gegeben, dessen Werk sich nicht in Anziehung wie Abstoßung produktiv auf das Werk Georges bezogen hätte.

Aber nicht allein in wirkungsstrategischer, auch in thematischer Hinsicht begann George sein Verhältnis zur Öffentlichkeit neu zu bestimmen. Der Dichter, der wie kein anderer in Deutschland die Kunsthermetik gesucht hatte, strebte nun mit den Mitteln seiner Kunst Wirkungen an, die weit in den Bereich ausgreifen sollten, der um die Jahrhundertwende bevorzugt »das Leben« genannt wurde. Mit der Entscheidung, der Kunst eine wirklichkeitsverändernde Kraft jenseits aller direkten politisch-gesellschaftlichen Programmatik zuzusprechen, stellte sich George in die deutschen Traditionen der Kunstreligion. In dem 1899 erschienenen *Teppich des Lebens* zeichnet sich diese neue Entwicklung seines Dichtens entschieden ab. Es war George bewußt, welche Gefahr der auratischen Enthobenheit des Dichterbilds, die essentieller Bestandteil seiner Medienpolitik war, durch seinen Schritt in die Öffentlichkeit drohte. Deshalb ließ er die in 300 Exemplaren erschienene Erstausgabe des *Teppich*, in Rot und Schwarz auf Bütten in Großquart gedruckt, von Melchior Lechter in opulenter buchkünstlerischer Prachtvollkommenheit gestalten; das Buch wurde, einem mittelalterlichen Missale gleich, zum sakralen Objekt. Diese Exklusivitätssteigerung stand nicht im Widerspruch zu Georges Entscheidung, sein Werk einem breiten Publikum zugänglich zu machen, sondern bildete deren logische Konsequenz. Auf den Entschluß zur massenhaften Verbreitung seiner Gedichte antwortete ein massiver Auratisierungsschub, der die Nichtberührbarkeit von Werk und Dichter durch die Öffentlichkeit zu sichern hatte. Und daß der Weg in die Öffentlichkeit nicht durch eine Senkung des künstlerischen Anspruchsniveaus erkauft werden sollte und konnte, machte George im *Teppich* durch dessen rigorose formale Steigerung deutlich, indem er hier die Tendenz zur zyklischen Durchkomposition, die sich im *Jahr der Seele* abgezeichnet hatte, in ein tektonisches Extrem trieb: Der Band besteht aus drei Einzelzyklen aus je 24 Gedichten zu vier Strophen mit je vier Versen. So wird die künstlerische Gegenbildlichkeit des *Teppich* – des künstlerische Form gewordenen Lebens – zur Lebenswirklichkeit durch formale Durchkomposition stabilisiert. Dieser Strenge der zyklischen Durchbildung wohnt freilich auch die Gefahr inne, daß ein äußeres Organisationsprinzip sich über das Einzelgebilde hinwegsetzt und eine ritualisierte Struktur eine ebenso ritualisierte Lektüre begünstigt, in der der Gehalt des einzelnen Gedichts nicht mehr zur Entfaltung kommen kann, vielleicht auch nicht zur Entfaltung kommen soll. Alles ist Teil eines teppichartigen universalen Verweisungsnetzes geworden, in dem der einzelne Text seinen Sinn nur noch als Element eines großen Ganzen freigeben kann. So wohnt dem Band eine Tendenz zur Depotenzierung des einzelnen Gedichts zugunsten eines großen Sinnzusammenhangs inne, der sich in jedem Gedicht nur in Andeutungen erschließt. Mit dieser Form der Textorganisation und der Lektüresteuerung erinnert der *Teppich* durchaus an religiöse Bücher.

Das Werk beginnt, wie die *Hymnen*, mit einer Weihe. Diese erneute Weihe ist aber nicht, wie dort, diejenige zum Dichter, sondern ist nun die Weihe des Dichters zum Träger einer Botschaft, die über die Kunst hinausweist. Es ist die Botschaft des »schönen lebens«, die dem Dichter von einem »nackten engel« überbracht wird. Gewiß ist dieser Engel kein Bote aus der Transzendenz, sondern ein Spiegel-Ich des Dichters selbst, gleichwohl: das Dichter-Ich, getroffen vom »grossen feierlichen hauch«, verjüngt sich und definiert seine Rolle neu als diejenige des Verkünders einer weltlichen Heilsbotschaft des »schönen lebens«. Was dieses schöne Leben sei, bleibt im Text in ahnungsvoller Unbestimmtheit, wie auch oft nur schwer zu erschließen ist, wer hier spricht, der Engel oder das Ich. Aber das eine wie das andere ist beabsichtigt; so kann sich das schöne Leben als Gegenbild zur universalen Lebensverstümmelung in der technisierten Moderne etablieren, das offen bleibt für Inhalte aus den geschichtlichen Bildungswelten, in die sich George schon immer gern geflüchtet hatte (»Hellas ewig unsre liebe«), und zugleich erfährt der Dichter jene quasisakrale Überhöhung, die ihm als Träger der Botschaft von der wiederzugewinnenden Lebensganzheit zukommt: »Ich bin freund und führer dir und ferge«. Damit verändert sich das Verständnis von Rolle und Werk des Dichters auf fundamentale Weise. Der radikale Anspruch auf Kunstautonomie wird durchbrochen, das Gedicht zum Träger einer positiven Botschaft von lebensverändernder Kraft umdefiniert: »Uns die durch viele jahre zum triumfe / Des grossen lebens unsre lieder schufen«, so heißt es nun im letzten Gedicht des *Vorspiels*. Nicht mehr allein auf seiner Kunst, sondern auf der Verkündigung der Verheißungen einer Kunstreligion beruht nun die herausgehobene Position des Dichters, und damit, so macht das *Vorspiel* ebenfalls deutlich, kann er die geistige Führerschaft über eine Bildungselite beanspruchen, die ihm bedingungslos folgen wird: »stark und stolz bereit / Für seinen ruhm in nacht und tod zu gehn.«

Was im *Teppich des Lebens* als Tendenz angelegt war, gelangt im *Siebenten Ring* (1907) zu voller Entfaltung. Hier tritt der Dichter als Richter über seine Zeit auf und stellt ihr zugleich einen neuen Gott als Erlöser entgegen. In der ungeheuren Folge der 14 gleichgeformten *Zeitgedichte*, die den Band eröffnen, wird der eigenen Zeit das Urteil gesprochen; im mittleren Zyklus, *Maximin*, wird sie in eine eschatologische Perspektive gestellt. Dante, Goethe, Nietzsche, der Stauferkaiser Friedrich II. werden als Beispiele menschlicher Größe in den *Zeitgedichten* mit uneingeschränktem Verwerfungsblick einer Epoche konfrontiert, die durch allgemeine Nivellierung, Werteverfall, Materialismus, Unfähigkeit zu wahrer Größe charakterisiert erscheint. Noch einmal begibt sich George, in dem Gedicht *Porta nigra*, in seiner Verachtung für die eigene Zeit in die Gestalt eines baudelaireschen Außenseiters – die Umdichtung der *Fleurs du mal* war im Jahre 1901 erschienen –: diejenige eines römischen Strichjungen, der von der Höhe der Antike herab die moderne Gesellschaft auf einem menschlichen Nullpunkt angekommen sieht: »Die fürsten prie-

ster knechte gleicher art / Gedunsne larven mit erloschnen blicken / Und frauen die ein sklav zu feil befände«. Diese Kritik ist von maßlos-höhnischer Härte und zumal in ihrer Verachtung für die Masse auch von schrankenloser Inhumanität: »Euch all trifft tod. Schon eure zahl ist frevel.« Mit seiner totalisierenden Zeitkritik aber gewinnt George die geschichtliche Tabula rasa, von der aus er den neuen Gott des schönen Lebens als die Erlöserfigur seiner Privatreligion aufbauen kann. Mit ihrer Verkündigung tritt an die Stelle des Erneuerers der deutschen Dichtersprache, der gegen die Modernisierungsschäden eine ästhetische Lebensform auszuspielen gesucht hatte, ein Dichter-Seher, dem die Erscheinung eines Göttlichen zuteil geworden ist, das für die Möglichkeit einer Wiedergewinnung der verlorenen Lebenseinheit in der Moderne einsteht: »den leib vergottet und den gott verleibt«, wie es in den berühmten *Templer*-Strophen heißt: eine Heilung und Heiligung des Lebens in der wiedergewonnenen Gestalt. Diese göttliche Erscheinung war George in Maximilian Kronberger zuteil geworden: jenem George seit Januar 1903 verbundenen Münchner Gymnasiasten und jungen Dichter, der sich nach seinem Tod am 15. April 1904 für ihn in die übersinnliche Gestalt des göttlichen Knaben Maximin verwandelte. Dieser mythisierten Gestalt Maximin huldigt der *Siebente Ring* in seinem mittleren Zyklus, wobei sich allerdings von Anbeginn die Frage nach der überpersönlichen Verbindlichkeit des Mythos stellt: »Dem bist du kind · dem freund. / Ich seh in dir den Gott«, so beginnt der Zyklus. Maximin ist Gott, weil George in ihm den Gott sieht, und so organisiert er den Zyklus nach dem Muster eines vom Advent zur Auferstehung führenden Heilsgeschehens.
Der erste und der vierte Zyklus des *Siebenten Ring* stehen

zueinander wie Minus und Plus. Auch dem *Siebenten Ring* verleiht George ein strenges formales Organisationsprinzip: Es ist sein siebtes Gedichtbuch, erschienen im Jahre 1907, organisiert in sieben Zyklen, deren Gedichtzahl jeweils ein Mehrfaches von Sieben bildet. Dennoch haftet diesem Kompositionsprinzip von Georges umfangreichstem Buch, das thematisch heterogen und formal vielgestaltig ist, etwas Äußerliches und Gewolltes an, wie George wohl auch bewußt war. Im Rückblick sagte er 1919 zu Edith Landmann: »Im TEPPICH schien das Leben schon gebändigt, im SIEBENTEN RING bricht alles Chaotische wieder neu herein, wie das Leben eben ist. Etwas so Einheitliches wie der STERN DES BUNDES konnte nur entstehen, wo solch ein Chaos vorausgegangen war.«
Tatsächlich ist der *Stern des Bundes*, erschienen im November 1913 in nur zehn Exemplaren, denen bereits im Januar 1914 die öffentliche Ausgabe folgte, Georges einheitlichstes – das meint auch Einheitlichkeit im Ton – und deshalb vielleicht auch problematischstes Buch: 100 in einen *Eingang*, drei Bücher und einen *Schlußchor* aufgeteilte Gedichte mit insgesamt 1000 Versen. George selbst hat 1928 in der *Vorrede* zum *Stern des Bundes* in der Gesamtausgabe gesagt, daß dieses ursprünglich als »geheimbuch« für die »freunde des engern bezirks« konzipierte Werk vielfach wie »ein brevier«, ein weltliches Erbauungsbuch, gelesen worden sei, und dies Rezeptionsverhalten ein »missverständnis« genannt. Aber war es wirklich ein Mißverständnis? Nach dem Erscheinen des *Siebenten Ring* hatte sich der Kreis um den Dichter in das nach dem Organisationsmodell von Herrschaft und Dienst strukturierte Geheime Deutschland transformiert, das die zeitliche Vorwegnahme des Neuen Reichs der wiedergewonnenen

Lebensganzheit bilden sollte. Dessen Gott aber war Maximin: der Stern des Bundes, und in dem Buch, das in seinem Zeichen stand, war die Georgesche Lehre nun in auf Memorierbarkeit angelegter Spruchdichtung greifbar: eine vieldeutige Lebenslehre von zeitenthoben-zeremoniöser Strenge, in der Form der Aussage schwankend zwischen ideologisch klarer Anweisung (»Mit den frauen fremder ordnung / Sollt ihr nicht den leib beflecken«) und einer in andeutungsgesättigten Bildern sich aussprechenden Geheimlehre. Diese Mischung reizt zu vielfacher Exegese, wobei freilich offenbleibt, ob die in diese Verse gelegte Glaubenslehre wirklich eines solchen dichterischen Verschlüsselungsaufwands bedurft hätte: »Glaube / Ist kraft von blut ist kraft des schönen lebens.« Dies bezeichnet die theologische Substanz von Georges Privatreligion ziemlich präzise. *Der Stern des Bundes* hat gewiß während des Ersten Weltkriegs und in der Weimarer Republik einer Jugend, die in einer tiefen politischen und metaphysischen Orientierungskrise steckte, manches bedeutet, dem heutigen Leser dagegen bleibt die zeremoniöse Erstarrung dieser Verse fremd, deren Dichter ganz in eine kunstpriesterliche Rollenschematik zurückgetreten ist, aus der heraus er nun Weihe spendet.

Danach hat George nur noch einen Gedichtband zusammengestellt: *Das Neue Reich*. Mit dem im Oktober 1928 ausgelieferten Band schloß George fünf Jahre vor seinem Tod sein poetisches Werk endgültig ab, weshalb das Buch auch gleich als Band 9 der Gesamtausgabe veröffentlicht wurde. *Das Neue Reich* versammelt seit 1908, also über zwei Jahrzehnte hinweg, entstandene Gedichte, von denen viele bereits in den *Blättern für die Kunst* erschienen waren. Einige der markantesten Stücke hatte George sogar in Form von Flugschriften herausgebracht: *Der Krieg* (1917) und die *Drei Gesänge* (1921), die neben der sinistren Prophetie *Wenn einst dies geschlecht sich gereinigt von schande* die politisch-programmatischen Gedichte *Der Dichter in Zeiten der Wirren* und *Einem jungen Führer im ersten Weltkrieg* enthält. In beiden Flugschriften tritt der Dichter als Seher auf (»Nie wird dem Seher dank«, heißt es in der ersten, »er einzig seher« in der zweiten), der seiner Zeit, wie einst Dante, das Urteil spricht und die Prophetie auf eine ganz andere Welt vorträgt. Mit Eiseskälte hatte George die Kriegseuphorie, der sich die meisten Mitglieder seines Kreises 1914 hingaben, zu dämpfen gesucht, denn für ihn triumphierte im technisierten Morden des Krieges, so zeigt es das Gedicht *Der Krieg*, nur die von ihm verachtete Moderne selbst. So gewaltig dies geschichtliche Vernichtungsgeschehen auch war, es blieb doch bedeutungslos für den, der das Heil in der Vernichtung von Geschichte und in der Lebensheiligung durch die Epiphanie eines Göttlichen suchte. So beschwört denn der Titel seines letzten Buchs eine Geschichtsutopie von nicht geringerem Anspruch als demjenigen der mittelalterlichen Reichstheologie Joachims von Fiore, wobei jedoch die Gedichte des Bandes dies verheißene Reich, in dem alles neu wird, nie mit konkreten geistigen, politischen, theologischen Inhalten verbinden. Dies begründet die vielfältige Ausdeutbarkeit von Georges zur Leerformel geronnener Reichsutopie, und so ließ sich denn auch die vom Dichter in Zeiten der Wirren beschworene Menschwerdung des Mannes, der die Ketten sprengt, das »wahre sinnbild auf das völkische banner« heftet und »das Neue Reich« errichtet, ohne Mühe als Prophetie auf Adolf Hitler beanspruchen. Dies freilich bedeutete eine Abkopplung der metapolitischen

Heilslehre Georges von dem, was ihm immer als das einzige Medium der Lebensbefreiung erschienen war: der Kunst. Mochte er auch durch die Offenheit seines Reichsbegriffs für politische, theologische und philosophische Gehalte unterschiedlichster Art dessen ideologische Ausdeutbarkeit begünstigt haben, so blieb doch für ihn selbst die Idee dieses Reiches ganz an die Kunst gebunden. Sein Reich ist der zum platonischen Staat hochgerechnete Garten der Kunst, in den sich George einst mit den *Hymnen* begeben hatte: nun mit einem Dichter-Seher an der Spitze, organisiert nach dem Modell von Herrschaft und Dienst, erfüllt vom Geist des *Sterns des Bundes*. Georges Neues Reich wird nicht durch Politik herbeigeführt, sondern es wird durch die Vernichtung aller Politik Wirklichkeit. Es ist, mit einem Wort, Kunst. Georges Neues Reich war für jeden, der zu lesen verstand, immer schon da: in seinen Gedichten. Sie repräsentieren jenes Neue Reich, das sie als das Andere der Geschichte beschwören.

Das Neue Reich ist Georges heterogenstes Buch. An dessen Ende begibt sich der Dichter zurück in den Ursprungsbereich aller Poesie: in die Einfachheit und Schlichtheit des Liedes. *Das Lied* heißt der letzte Zyklus des Bandes, und er versammelt tatsächlich volksliedhaft einfache Gedichte, in denen George jeden Prophetenton ablegt, weil es nichts mehr zu prophezeien gibt. Im Lied bekennt er, daß ihm das absolute Wissen des Sehers in den Zerklüftungen der Moderne abhanden gekommen ist: »Dir kam ein schön und neu gesicht / Doch zeit ward alt · heut lebt kein mann / Ob er je kommt das weisst du nicht // Der dies gesicht noch sehen kann.« Der späte George muß zuletzt doch wieder gespürt haben, daß die Wahrheit der Dichtung in der Aussprache einer ungeschützten Subjektivität jenseits aller Gesten ideologischer Sicherheit und jenseits prätendierter Zukunftsgewißheit liegt, denn diese waren durch sämtliche geschichtlichen Erfahrungen längst widerlegt. So gewinnt der Dichter Stefan George sein Charisma am Ende dort zurück, wo er den Habitus des Charismatikers ablegt: in der kunstvollen Schlichtheit und der semantischen Offenheit des Liedes. Gestorben ist der früh gealterte, in seinen späteren Lebensjahren oft erkrankte Stefan George, dessen dichterische Produktivität spätestens zu Beginn der zwanziger Jahre erloschen war, am 4. Dezember 1933 jenseits des Einflußbereichs der neuen Machthaber: in Muralto im Tessin. Dort, auf dem Friedhof von Minusio, wurde er auch beigesetzt.

ZU DIESER AUSGABE

it 3078, Stefan George, Gedichte. Herausgegeben und mit einem Nachwort von Ernst Osterkamp. Die Textfassung folgt der Gesamtausgabe, 1927-1934 im Verlag Georg Bondi, Berlin, erschienen.
Umschlagfoto: akg-images, Berlin

Philosophie
im insel taschenbuch
Eine Auswahl

Augustinus. Bekenntnisse. it 1002. 1046 Seiten

Augustinus. Liebe und tu, was du willst. Ausgewählt von Michael Treberian. Großdruck. it 2382. 90 Seiten

Ernst Bloch. Ins Gelingen verliebt. Aphorismen und Lebensweisheiten. Ausgewählt vonKarlheinz Weigand. Eingeleitet von Klaus Kufeld. Mit farbigen Illustrationen von F. W. Bernstein. it 2702. 95 Seiten

Boethius. Trost der Philosophie. Zweisprachige Ausgabe. Übersetzt von Ernst Neitzke. Mit einem Vorwort von Ernst Ludwig Grasmück. it 1215. 344 Seiten

Epiktet. Wege zum glücklichen Handeln. Übersetzt von Wilhelm Capelle. it 1458. 221 Seiten

Epikur. Philosophie der Freude. Hauptlehrsätze. Spruchsammlung. Fragmente. Übertragen und mit einem Nachwort versehen von Paul M. Laskowsky. it 1057. 121 Seiten

Denken mit Kant. Ein philosophisches Lesebuch. Herausgegeben von Wilhelm Weischedel. it 2991. 234 Seiten

Kant für Gestreßte. Ausgewählt von Ursula Michels-Wenz. it 2990. 180 Seiten

Kierkegaard für Gestreßte. Ausgewählt von Johan de Mylius. it 2661. 192 Seiten

NF 43/1/2.04

Konfuzius. Die Weisheit des Konfuzius. Übersetzt und eingeleitet von Hans H. O. Stange. Mit einem Nachwort von Ursula Gräfe. it 2999. 112 Seiten

Konfuzius für Gestreßte. Ausgewählt von Ursula Gräfe. it 2754. 128 Seiten

Georg Christoph Lichtenberg
- Aphorismen. In einer Auswahl. Herausgegeben und mit einem Nachwort versehen von Kurt Batt. it 165. 316 Seiten
- Krokodile im Stadtgraben. Sudelsprüche und Schmierbuchnotizen. Ausgewählt und mit Zeichnungen versehen von Robert Gernhardt. it 2595. 321 Seiten
- Lichtenbergs Funkenflug der Vernunft. Herausgegeben von Jörg-Dieter Kogel, Wolfram Schütte und Harro Zimmermann. it 1414. 128 Seiten
- Sudelbücher. Herausgegeben von Franz H. Mautner. Mit einem Nachwort, Anmerkungen zum Text, einer Konkordanz der Aphorismen-Nummern und einer Zeittafel. it 792. 683 Seiten

Niccolò Machiavelli
- Discorsi. Über Staat und Politik. Übersetzt von Friedrich von Oppeln-Bronikowski. Herausgegeben von Horst Günther. it 2551. 513 Seiten
- Der Fürst. Übersetzt von Friedrich von Oppeln-Bronikowski. Mit einem Nachwort von Horst Günther. it 1207. 176 Seiten
- Machiavelli für Manager. Sentenzen. Ausgewählt von Luigi und Elena Spagnol. it 1733. 109 Seiten

NF 43/2/2.04

Marc Aurel. Selbstbetrachtungen. Übersetzt von Otto Kiefer. Mit einem Vorwort von Klaus Sallmann. it 1374. 202 Seiten

Michel de Montaigne. Essais. Herausgegeben und mit einem Nachwort versehen von Ralph-Rainer Wuthenow. Revidierte Fassung der Übertragung von Johann Joachim Bode. it 220. 307 Seiten

Montaigne für Gestreßte. Ausgewählt von Uwe Schulz. it 2845. 112 Seiten

Friedrich Nietzsche
- Also sprach Zarathustra. Ein Buch für Alle und Keinen. Thomas Mann: Die Philosophie Nietzsches im Lichte unserer Erfahrung. it 145. 368 Seiten. it 2676.
- Der Antichrist. Versuch einer Kritik des Christentums. it 947. 126 Seiten
- Briefe. Ausgewählt von Richard Oehler. Mit einem Essay von Ralph-Rainer Wuthenow. it 1546. 412 Seiten
- Ecce homo. Mit einem Vorwort von Raoul Richter und einem Nachwort von Ralph-Rainer Wuthenow. it 2677. 176 Seiten
- Formel meines Glücks. Aus Friedrich Nietzsches Werken und Nachlaß. Herausgegeben von Hans-Joachim Simm. it 2751. 350 Seiten
- Die fröhliche Wissenschaft. Mit einem Nachwort von Ralph-Rainer Wuthenow. it 635. 318 Seiten. it 2678. 320 Seiten
- Die Geburt der Tragödie aus dem Geiste der Musik. Mit einem Nachwort von Peter Sloterdijk. it 2679. 224 Seiten
- Gedichte. Nach den Erstdrucken 1878 bis 1908. Herausgegeben von Ralph Kray und Karl Riha. it 2679. 224 Seiten

NF 43/3/2.04

- Götzen-Dämmerung oder Wie man mit dem Hammer philosophiert. Herausgegeben von Karl Schlechta. it 822. 123 Seiten. it 2680. 128 Seiten
- Jenseits von Gut und Böse. Mit der Streitschrift ›Zur Genealogie der Moral‹ und einem Nachwort von Ralph-Rainer Wuthenow. it 762. 391 Seiten
- Menschliches, Allzumenschliches. Ein Buch für freie Geister. Mit einem Nachwort von Ralph-Rainer Wuthenow. it 2618. 624 Seiten
- Morgenröte. Gedanken über die moralischen Vorurteile Mit einem Nachwort von Ralph-Rainer Wuthenow. it 678. 319 Seiten
- Nietzsche für Gestreßte. Vorgestellt von Ursula Michels-Wenz. it 1928. 106 Seiten
- Über die Frauen. Herausgegeben und mit einem Nachwort versehen von Klaus Goch. it 1335. 320 Seiten
- Unzeitgemäße Betrachtungen. Mit einem Nachwort von Ralph-Rainer Wuthenow. it 509. 387 Seiten
- Von Wille und Macht. Herausgegeben von Stephan Günzel. Mit einem Geleitwort von Gianni Vattimo. it 2984. 256 Seiten
- Wie man wird, was man ist. Ermutigungen zum kritischen Denken. Herausgegeben von Ursula Michels-Wenz. it 1096. 309 Seiten. it 2683. 320 Seiten
- Zur Genealogie der Moral. Eine Streitschrift. it 1308. 157 Seiten

Friedrich Nietzsche. Leben · Schriften · Zeugnisse. Von Ralph-Rainer Wuthenow. Mit zahlreichen Abbildungen. it 2601. 172 Seiten

NF 43/4/2.04

Friedrich Nietzsche in seinen Werken. Von Lou Andreas-Salomé. Mit Anmerkungen von Thomas Pfeiffer. Herausgegeben von Ernst Pfeiffer. it 2592. 361 Seiten

Platon für Gestreßte. Ausgewählt von Michael Schroeder. it 2189. 110 Seiten

Platons Mythen. Ausgewählt und eingeleitet von Bernhard Kytzler. it 1978. 224 Seiten

Platon. Das Trinkgelage oder Über den Eros. Übertragung, Nachwort und Erläuterungen von Ute Schmidt-Berger. Mit einer Wirkungsgeschichte von Jochen Schmidt und griechischen Vasenbildern. it 681. 225 Seiten

Plutarch. Die Kunst zu leben. Ausgewählt und übersetzt von Marion Giebel. it 2603. 195 Seiten

Jean-Jacques Rousseau. Bekenntnisse. Übersetzt von Ernst Hardt. Mit einer Einführung von Werner Krauss. it 823. 917 Seiten

Arthur Schopenhauer
- Aphorismen zur Lebensweisheit. Vollständige Ausgabe mit Erläuterungen und Übersetzung der fremdsprachigen Zitate. Mit einem Nachwort von Hermann von Braunbehrens. it 223. 272 Seiten. it 2959. Gebundene Sonderausgabe. 256 Seiten
- Kleines Schopenhauer-Brevier. Gedanken aus dem handschriftlichen Nachlaß. Auswahl und Nachwort von Rudolf Malter. 285 Seiten. Pappband
- Die Kunst, Recht zu behalten. In achtunddreißig Kunstgriffen dargestellt. Herausgegeben von Franco Volpi. it 1658. 128 Seiten

NF 43/5/2.04

- Schopenhauer für Gestreßte. Ausgewählt von Ursula Michels-Wenz. it 2504 und it 2673. 126 Seiten
- Wege zum Glück. Erkenntnisse zur Lebensbewältigung. Ausgewählt von Ursula Michels-Wenz. it 2171. 382 Seiten
- Die Welt als Wille und Vorstellung. Textkritisch bearbeitet und herausgegeben von Wolfgang Freiherr von Löhneysen. Zwei Bände. it 1873. 1656 Seiten

Arthur Schopenhauer. Leben und Werk in Texten und Bildern. Von Angelika Hübscher. it 1059. 368 Seiten

Seneca
- Seneca für Gestreßte. Ausgewählt von Gerhard Fink. it 1940. 102 Seiten. it 2674. 128 Seiten
- Seneca für Manager. Sentenzen. Ausgewählt und übersetzt von Gerhard Schoeck. it 1656. 120 Seiten
- Vom glücklichen Leben. Übersetzt von Heinz Berthold. it 1457. 205 Seiten
- Von der Seelenruhe. Philosophische Schriften und Briefe. Herausgegeben und übersetzt von Heinz Berthold. it 2954. 430 Seiten

Voltaire. Candide oder der Optimismus. Mit Zeichnungen von Paul Klee. it 11. 192 Seiten

Voltaire. Sämtliche Romane und Erzählungen. Mit einer Einleitung von Victor Klemperer und Stichen von Moreau le Jeune. Übersetzt von Ilse Lehmann. it 209. 489 Seiten

Voltaire. Leben und Werk in Texten und Bildern. Von Horst Günther. it 1652. 129 Seiten

Das Leben des Voltaire. Von Jean Orieux. Übersetzt von Julia Kirchner. Mit einer Zeittafel, einem Personenregister und zeitgenössischen Abbildungen. it 1651. 1024 Seiten

NF 43/6/2.04

»Theater«
im insel taschenbuch
Eine Auswahl

Pierre Augustin Caron de Beaumarchais. Die Figaro-Trilogie. Der Barbier von Sevilla oder Die nutzlose Vorsicht. Der tolle Tag oder Figaros Hochzeit. Die Schuld der Mutter oder Ein zweiter Tartuffe. Übersetzt von Gerda Scheffel. Nachwort von Norbert Miller. Mit zeitgenössischen Illustrationen. it 228. 394 Seiten

Euripides. Bakchen. Übersetzt von Kurt Steinmann. it 2537. 127 Seiten

Johann Wolfgang Goethe
- Faust. Text und Kommentar. Herausgegeben von Albrecht Schöne. Zwei Bände in Kassette. it 3000. 1976 Seiten
- Faust. Urfaust. Faust. Ein Fragment. Faust. Eine Tragödie. Paralleldruck der drei Fassungen. Zwei Bände. Herausgegeben von Werner Keller. it 625. 690 Seiten
- Faust. Erster und zweiter Teil. Herausgegeben und mit einem Nachwort versehen von Jörn Göres. it 2283. 760 Seiten
- Faust. Zweiter Teil. Mit Federzeichnungen von Max Beckmann. Mit einem Nachwort zum Text von Jörn Göres und zu den Zeichnungen von Friedhelm Fischer. it 100. 492 Seiten

Henrik Ibsen
- Ein Puppenheim. Herausgegeben und übersetzt von Angelika Gundlach. Mit zeitgenössischen Abbildungen. it 323. 176 Seiten

NF 83/1/10.03

- Gespenster. Ein Familiendrama in drei Akten. Übersetzt von Angelika Gundlach. it 2922. 350 Seiten

Heinrich von Kleist. Der zerbrochne Krug. Ein Lustspiel. Mit einem Nachwort von Hans Joachim Piechotta. it 171. 163 Seiten

Molière
- Der eingebildete Kranke. Übersetzt von Johanna Walser und Martin Walser. it 1014. 84 Seiten
- Der Menschenfeind. Nach dem Französischen des Molière von Hans Magnus Enzensberger. it 401. 116 Seiten

Johann Nestroy. Komödien. Mit einem Vorwort von Siegfried Diehl. it 1742. 427 Seiten

Friedrich Schiller. Wallenstein. Ein dramatisches Gedicht. Wallensteins Lager – Die Piccolomini – Wallensteins Tod. Herausgegeben von Herbert Kraft. Mit einem Nachwort von Oskar Seidlin. it 752. 325 Seiten

Arthur Schnitzler. Reigen. Komödie in zehn Dialogen. Herausgegeben und mit einem Nachwort von Hansgeorg Schmidt-Bergmann. it 2820. 128 Seiten

William Shakespeare
- Hamlet. Prinz von Dänemark. Übersetzt von August Wilhelm von Schlegel. Mit Illustrationen von Eugène Delacroix. it 364. 270 Seiten
- Romeo und Julia. Übersetzt von Thomas Brasch. it 1383. 151 Seiten
- Die Tragödie des Macbeth. Übersetzt von Thomas Brasch. it 1440. 112 Seiten

NF 83/2/10.03

- Was Ihr wollt. Übersetzt von Thomas Brasch. it 1205. 132 Seiten

Sophokles
- Aias. Übertragen von Wolfgang Schadewaldt. Herausgegeben von Hellmut Flashar. Mit zahlreichen Abbildungen. it 1562. 130 Seiten
- Antigone. Übertragen und herausgegeben von Wolfgang Schadewaldt. Mit einem Nachwort, einem Aufsatz, Wirkungsgeschichte und Literaturhinweisen. Mit einem Bildteil. it 70. 152 Seiten
- Antigone. Übersetzt von Hölderlin. Bearbeitet von Martin Walser und Edgar Selge. it 1248. 81 Seiten
- Elektra. Übertragen von Wolfgang Schadewaldt. Herausgegeben von Hellmut Flashar. Mit zahlreichen Abbildungen. it 1616. 160 Seiten
- Die Frauen von Trachis. Übertragen von Wolfgang Schadewaldt. Herausgegeben von Hellmut Flashar. Mit zahlreichen Abbildungen. it 2602. 129 Seiten
- König Ödipus. Übertragen und herausgegeben von Wolfgang Schadewaldt. Mit einem Nachwort, drei Aufsätzen, Wirkungsgeschichte und Literaturnachweisen. Mit 14 Abbildungen. it 15. 141 Seiten
- Ödipus auf Kolonos. Übertragen von Wolfgang Schadewaldt. Herausgegeben von Hellmut Flashar. Mit zahlreichen Abbildungen. it 1782. 164 Seiten
- Philoktet. Herausgegeben von Hellmut Flashar. Übersetzt von Wolfgang Schadewaldt. Mit zahlreichen Abbildungen. it 2535. 181 Seiten

August Strindberg. Fräulein Julie. Drama. Übersetzt und mit einem Nachwort versehen von Peter Weiss. it 2701. 112 Seiten

NF 83/3/10.03

Anton Tschechow. Der Kirschgarten. Übersetzt und bearbeitet von Thomas Brasch. it 1341. 94 Seiten

Oscar Wilde
- Bunbury oder Wie wichtig es ist, ernst zu sein. Ein leichtes Stück für ernsthafte Leute. Übersetzt von Christine Hoeppener. Herausgegeben von Norbert Kohl. Mit Abbildungen. it 2235. 161 Seiten
- Salome. Dramen, Schriften, Aphorismen und Die Ballade vom Zuchthaus zu Reading. Mit Illustrationen von Marcus Behmer. it 107. 250 Seiten

Die Schauspielerin. Zur Kulturgeschichte der weiblichen Bühnenkunst. Herausgegeben von Renate Möhrmann. it 2665. 456 Seiten

NF 83/4/10.03